JN088579

『続・言問ふ葦』正誤表

・35頁10行目　二階博俊→二階俊博
・36頁9行目　国際社→国際社会
・49頁4行目　人口国家→人工国家
・100頁9行目　即時的に→即自的に
・188頁左から4行目　性同一障害→性同一性障害
・200頁左から3行目　土地所収→土地所有
・213頁左から3行目　問ふた→問うた
・237頁左から4行目　同右
・245頁9行目　英話→英語
・276頁左から2行目　東大主席→東大首席
・284頁3行目　上海市外戦→上海市街戦

（以上、謹んで訂正致します。他にも一字ヌケがありますが、文意理解に支障はありませんので割愛させて戴きます。）

続・言問ふ葦（ことといあし）

――「常識」を取り戻すために

コラムニスト・宮崎大学准教授
吉田好克

Quod bellum firmavit, pax ficta non auferat.

戦ひが打ち建てたものを、偽りの平和が破壊することのないやうに。

ブレーズ・パスカル

『プロヴァンシアル書簡』第十九通

ＷＧＩＰの呪縛を解き放て！——序に代へて

日本の読者に対して私が望みたいことは、次の一事を措いてほかにない。即ち人が言語によって考えるほかない以上、人は自らの思惟を拘束し、条件付けている言語空間の真の性質を知ることなしには、到底自由にものを考えることができない、という、至極簡明な原則がそれである。

——江藤淳『閉ざされた言語空間—占領軍の検閲と戦後日本』（文春文庫）

本書をお読み下さる方は、「ウォー・ギルト・インフォメーション・プログラム」（以下、ＷＧＩＰと略記）といふ言葉やその内容を全く知らないといふことはないと思ふ。けれども、若い読者はどうであらうか。が、仮に知らないとしても彼らの責任ではない。

ＷＧＩＰについて国会図書館蔵の原資料に当たりながら調査・検証した関野通夫氏は、法学部を卒業した友人の作家から次のやうな「ため息交じりの話」を聞いたと言ふ。（以下、ＷＧＩＰについての記述は関野通夫『日本人を狂わせた洗脳工作——いまなお続く占領軍の心理作戦』（自由社ブックレット①）に多くを負つてゐる。）

ある時（「二年前」とあるから、令和三年の今から数へて八年前のこと）、その友人が仲間の叙勲を祝ふパーティーに参列した際、ふと思ひ付いて、ＷＧＩＰを知つてゐるかと参加者たちに尋ねたところ、「検察庁や裁判所の元高官、現役で活動中の元弁護士会長や大企業の取締役など」を含む三十人近い法曹人は誰も知らず、元国家公務員の一人だけが知つてゐた。また、その友人が別の同窓会で二十五人に同じ質問をしたところ、元鉄鋼会社の社員のみが知つてゐて、テレビ・新聞などメディア関係者五人は誰一人知らなかつた……。

話の内容から察するに、彼らは著名大学の卒業生であり、また、関野氏と同い年ぐらゐであると仮定すると、昭和十四年前後の生まれの人たち——終戦時に小学校の低学年——といふことになる。そのやうな世代の人たちの殆（ほとん）どが知らないのだから、例へば平成生まれの若い人たちが知らなくても当たり前であらう。が、それにしても、占領軍が如何に巧妙にこのプログラムを遂行したか、良く分かるといふものだ。プログラムを施された側に「施された」といふ意識が無いのだから。占領軍の巧妙さは、ＷＧＩＰの実施を日本政府の決定のやうに見せかけ、日本人が自主的に行つたかのやうに「錯覚」させたことにある。

ともあれ、占領軍の行つたこのＷＧＩＰ（戦争罪悪感教育計画＝戦争の罪悪感を日本人に植ゑ付けるための教育計画）は、戦後の我が国の歴史を振り返る時、我が国民の倫理的心性（エートス）を決定づけた——現在でもその効力が失はれてゐない——最も重要なものとして顧みられるのである。

その結果として、戦後の日本人の多くが「戦争＝悪」と単純に思ふやうになつてしまつたが、このやうな思考が支配的になつてゐるのはおそらく我が国だけであらうし、とりわけ学校で生徒に「戦争は悪事である」と教へてゐる国は、調べた訳ではないが、我が国だけであらう。

最近の例で言へば、昨年話題となつた「日本学術会議」が平成二十九年三月二十四日に出した「軍事的安全保障研究に関する声明」がその種の心性に貫かれてゐる。これは平成二十七年度に防衛省防衛装備庁が打ち出した「安全保障技術研究推進制度」が大学の研究者に研究費を支援して防衛技術の向上を図らうとしたことを非難し、そのやうな研究は「学問の自由及び学術の健全な発展と緊張関係にある」として、これまでの二度の声明を継承するものとしてゐる。二度の声明とは、「戦争を目的とする科学の研究は絶対にこれを行わない」（昭和二十五年）、「軍事目的のための科学研究を行わない」（昭和四十二年）のことである。

私は研究室のポストに投げ込まれてゐた今回の声明をたまたま読んだのだが、「約八十七万人の科学者を内外に代表する機関」たる「日本学術会議」にしては、あまりに非愛国的でお粗末な声明であると一驚した。これでは、日本を襲ふミサイル攻撃から国民を守るための技術開発も否定されてしまふではないか。まさに亡国・自滅の思想である。が、それもそのはず、後に調べたところ、この学術会議は歴史的に日本共産党の主導権下に成立したものであることが分かつた（本書二百八十一頁「恐るべし、日本共産党」参照）。しかし、全会員が共産党員とは思へないので、多くの会員は「戦争（軍事）＝悪」といふＷＧＩＰによる洗脳呪縛を今なほ解けないでゐるのだらうと推測せざるを得ない。或いは、良識ある会員もゐるであらうが、多勢に無勢と諦めてゐるのだらう。

さて、日本が昭和二十年八月十四日にポツダム宣言受諾を連合国側に通告したことにより、連合国軍最高司令長官ダグラス・マッカサーが同月三十日に来日し、この後、ＧＨＱ（連合国軍総司令部）は日本を本格的な占領管理下に置き、様々な方法で当時の日本人の精神を改造しようとした。

今、「当時の日本人の精神」と言つたが、これについては興味深い記録が残つてゐる。昭和二十年の十月・十一月のＧＨＱの月報にはこのやうに書かれてゐるさうだ。「占領軍が東京入りしたとき、日本人のあいだに戦争贖罪意識はまったくといっていいほど存在しなかった。（略）日本の敗北は単に産業と科学の劣勢と原爆のゆえであるという信念が行き渡っていた」（高橋史朗『日本が二度と立ち上がれないようにアメリカが占領期に行ったこと』致知出版社）。

今から見ると、敗れたりとは言へ、なかなか見上げた「信念」と言へるかも知れない。歴史を学ぶとは当時の時代的文脈に即して事象を見つめること、「何が事實かといふことではなく、何を事實と見てゐたか、その昔の人の心に接すること」（福田恆存「歴史教育について」『全集』第五巻、文藝春秋）であるとすれば、当時の日本人のこの「信念」をこそ、我々は長く記憶に留めるべきなのではなからうか。しかし、現在ではすべて日本が悪いことをしたといふ前提で歴史が語られてゐる。この変化を引き起こすのに決定的役割を果たしたのがWGIPなのである。

さて、そのWGIPは具体的にどのやうなものだつたのか。

進駐軍が先づ行つたのは、当時は有力なメディアだつた新聞報道に圧力をかけることであつた。そのため、早くも昭和二十年の九月十九日に「日本出版法」（Press Code for Japan）を制定した。これは「検閲による言論統制」を意味し、三十項目に及ぶ「削除及び発行禁止対象」が盛り込まれてゐた。そのすべてを記す紙幅が無いが、主なものを挙げれば、①SCAP（連合国軍最高司令長官）に対する批判、②極東軍事裁判への批判、③GHQが日本国憲法を起草したことに対する批判、などから始まり、④検閲制度への言及、⑤アメリカ合衆国への批判、などを経て、⑰神国日本の宣伝、⑳大東亜共栄圏の宣伝、㉓占領軍兵士と日本女性との交渉、などといふものまであつた。要するに、新聞に対する徹底的な言論統制を行つたのであり、当時の日本人は歴史の「真実」から遠ざけられ、言はば「見ざる、聞かざる、言はざる」の三猿(さんえん)状態に置かれたのである。

因みに、『朝日新聞』は敗戦から一月後、九月十五日と十七日、鳩山一郎(元文部大臣で後に首相)の原爆投下は「国際法違反、戦争犯罪」である旨の談話と、米兵の「暴行事件」を告発する記事を掲載し、GHQにより二日間の発行停止処分を受けた(これが『朝日新聞』の論調を百八十度転換させたと言はれてゐる)。

また、GHQの幕僚部としてCIS(民間情報局)とCIE(民間情報教育局)があり、そのGHQからCIEの局長に宛てられた昭和二十年十二月二十一日付けのメモには次のやうなWGIPの「目的」が記されてゐる。

A　侵略戦争を計画し、準備し、開始し、遂行もしくは遂行に荷担せる罪の露見した者の処罰は、倫理的に正当であることを示すこと。
B　戦争犯罪の容疑者を訴追しつつあることは、全人類のためであることを示すこと。
C　戦争犯罪人の処罰は、平和的にして繁栄せる日本の再建と将来の世界の安全に必要であることを示すこと。
D　戦争犯罪人には日本国民の現在の苦境をもたらした一番大きな責任があるが、国民自身にも軍国主義を許し、あるいは積極的に支持した共同の責任があることを示すこと。

E　戦争犯罪を容認した制度の復活を避けるため、日本国民の責任を明確にすること。

F　政治家、実業家、指導的扇動家など、日本国内のさまざまなグループに戦争責任があることを示すこと。

G　戦争犯罪人は、公正かつ開かれた裁判を受けることを示すこと。

H　山下奉文大将の場合のように、死刑宣告に対する予想される批判の機先を制するため、残虐行為の責任者の処罰形態の決定にあたっては、名誉を考慮するにはあたらないことを明確にすること。

I　日本国民に戦争犯罪と戦争犯罪人に関して議論させるように仕向けること。

（G、H、Iは関野氏の著書は省略してゐるので、高橋氏の著書から補つた。）

要するに、「戦争犯罪」といふものがあり、それを犯した「戦争犯罪人」を処罰することの正当性と、日本国民の責任を問ふことの正当性が主張されてゐる訳だ。それはまた、やがて開かれる東京裁判の判決を日本人に受け入れさせるための地均（ぢなら）しでもあつた。

この他に、各メディアへの対策も書かれてゐるが、詳細は関野氏、高橋氏の著書を繙（ひもと）かれたい。ここでは、新聞雑誌の他にラジオ、映画などにも徹底的な統制を加へてゐたと言ふに留める。（尚、特に引用しなかつたが、昨年刊行された有馬哲夫氏の著書『日本人はなぜ自虐的になつたのか——占領とＷＧＩＰ』（新潮選書）も関係資料を精査した良書である。特に、「ＷＧＩＰの洗脳は無い」と主張する学者・評論家たちへの批判が優れてゐる。）

　とにかく、右のやうに、連合国側の一方的な歴史観を喧伝し、日本人の精神構造を変へようとするＷＧＩＰは、東京裁判の開廷前から判決が出るまで、即ち、昭和二十年十二月から同二十三年十一月まで徹底的且つ執拗に繰り広げられたのであつた。

　以上のやうなＷＧＩＰの呪縛を、我が国は昭和二十七年四月二十八日に再び独立国となつた後も全く払拭できず、その呪縛は今日まで続いてゐると言はざるを得ない。その結果、無国籍の新聞が一定の読者を獲得し、無国籍の言論人や「九条のお蔭で日本は平和なのだ」と夢想する空想的平和主義者たちがマスメディアを中心に跋扈する実に偏頗な国となつてしまつたのである。

　ここに洵に驚くべき数字がある。「世界価値観調査」における「もし戦争が起こつたら国のために戦うか」といふ質問に対する日本人の回答である。データ分析家本川裕氏のデータサイト「社会実情データ」（二〇〇五年—二〇一〇年期）によれば、「はい」が十五・二％、「いいえ」が三十八・七％、「分からない」が四十六・一％である。「はい」の数字は調査対象七十九ヵ国中最低の数字であり、イタリア（三十六・五％）とドイツ（四十一・七％）も決して多くは無いが、さすがに二十％に届かないのは我が国だけである。因みに、最も「はい」が多いのはカタールで九十七・八％だ。

このやうに異常な数字となつた理由は、敗戦経験による厭戦気分や威勢の良い言葉に慎重な国民的傾向もあらうが、やはり憲法九条の存在や戦後の所謂「平和主義」と無関係ではあり得ないと思はれる。抑々（そもそも）この二つこそ、ＧＨＱが仕掛けたＷＧＩＰの副作用、否、本作用なのだ。従つて、「戦争＝悪」「平和＝善」との妄想を打ち砕き、ふやけた詫び証文のやうな憲法を自前の憲法へと改訂しなくてはならない。これができなければ、自分さへ良ければ良い、自分さへ生きてゐられれば良いといふ消極退嬰的な、没道徳的な生き方しか我が同胞はできなくなるであらう（道徳的に生きるには「力」が必要なのだ）。そして我が国は「哲学無き商人国家」といふ汚名を着て存在し続けるほかなくなるであらう。やはり、三島由紀夫の予言は正しかつた。「日本はなくなつて、その代はりに、無機的な、からつぽな、ニュートラルな、中間色の、富裕な、抜目がない、或る經濟的大國が極東の一角に殘るのであらう」と彼は書いた（「果たし得てゐない約束」『サンケイ新聞』昭和四十五年七月七日夕刊）。しかし、他国から敬意を持たれなくなれば侮られるし、侮られれば経済もやがては行き詰まるであらうから、いつまで「富裕な」「經濟的大國」でゐられるのかは分からない。

我々は早くこのＷＧＩＰの呪縛から自らを解き放ち、失はれた「常識」を取り戻さねばならないのである。

＊　＊　＊

前著『言問ふ葦』（高木書房、平成二十八年十二月）に続いて、『時事評論石川』（北潮社、毎月二十日、年十回発行）に書いた文章を中心にして一冊に纏めてみた。書名は前作との連続性に鑑み、『続・言問ふ葦』とした。「葦」はパスカルの「人間は（略）考へる葦である」（『パンセ』）から取り、「言問ふ」は、我が師、竹本忠雄先生が『伊勢物語』に出て来る名歌「名にし負はばいざ言問はむ都鳥わが思ふひとはありやなしやと」から名付けて下さつたものである。「言問ふ」には「質問する」「尋ねる」といふ意味があるが、ここでは「厳しく問ひ質(ただ)す」といふ意味を込めた。

これまでと同様、殆どは注文があつて書いたものだが、幾つかは注文の無いまま興に乗つて書いたものを勝手に送稿し、掲載されたものもある。

第一部には署名コラムを、第二部には「白刃(しらは)」の筆名で書いたコラムを、第三部には拉致問題についてのインタビュー記事を収録した。

今回、上梓するにあたり、全篇に【追記】を付した。コラムの本篇は掲載紙の公共性を考へて、知己の先生方にも特別な場合を除いてお名前には「氏」を使つたが、【追記】では「先生」を使ひ、ある程度敬語も使用してゐる。【追記】は本篇より私的な意味合ひを持たせても許されるであらうと判断したのである。諒とせられたい。

さて、本書の読者として私が想定してゐるのは、受験勉強以外に歴史を勉強したことが無く、社会の本音と建て前やマスメディアの正体をまだあまり知らない大学生から二十代の若者たちと、地上波放送のテレビぐらゐしか情報収集の手段を持たない人たちである（後者を最近では「情報弱者」と言ふらしい）。

今の大学生があまりにモノを知らないこと、しかし、教へれば理解するといふことを私は経験で知つてゐる。だから、物の見方、文章の読み方、社会の見方を具体的に指南――おこがましい言ひ方だが――したつもりである。難しいと思はれる漢字に読み仮名を振つたのもそのためであるし、著作物に必ず出典を付したのもそのためである。ある種の読書案内も兼ねてゐるつもりだ。巻末の人名索引も役立てて欲しい。

これからの日本を背負つて立つ若者にこそ、ＷＧＩＰの呪縛から自らを解き放ち、「常識」を取り戻して欲しいと心から願つてゐる。

尚、本書は歴史的仮名遣（正仮名遣）で書かれてゐるが、その理由については二百三十五頁を参照されたい。

＊　＊　＊

署名コラムは三千字であるが、筆名コラムに至つては約一千字である。特に後者では一行十一文字で九十九行といふ厳格な制約があつたので、字数には非常に気を遣つた。そのため、署名コラムにもさういふことがあつたが、言葉足らずと思ひながら詳述を諦めたり、改行を省いて文章を詰め込んだりしたところがあつたので、今回上梓するにあたり、適宜補筆や修正を施した。また、同様の理由で、長い書名は途中から省略したり、出典の明記も不十分であつたりしたのだが、これも補ふことができた。失礼のあつた著者・訳者には、この場を藉りてお詫び申し上げる。

尚、掲載場所の注記の無いものはすべて『時事評論石川』に載つたものである。また、肩書は発表当時のものとした。

目次

第二部 「白刃」名義コラム

第一部　署名コラム

なぜ左翼系知識人の言説は虚しいのか

平成二十八年十二月号

私はたゞ、彼等〔騒然たる文藝批評家等〕がなぜにあらゆる意匠を凝らして登場しなければならぬかを、少々不審に思ふ許りである。

——小林秀雄「様々なる意匠」
(『新訂・全集』第一巻、新潮社)

私は今月上梓した『言問ふ葦——私はなぜ反「左翼」なのか』(高木書房)の「序にかへて」において、主に「護憲派左翼」の言説を批判した。そして、彼らの言説の具体的な特徴は、一、文章が下手であり意味不明であることが多く、二、政治主義に盲ひる(めし)ことにより平気で嘘を吐き、三、責任を取る気概無くしてものを言ひ、四、非論理的であると書いた。

宮崎大学を卒業できない東大教授

その前著でも引用したのだが、以上の特徴をすべて備へた東大教授石川健治氏の文章を引く。

「改憲を唱える人たちは、憲法を軽視するスタイルが身についている。加えて、本来まともだったはずの論者からも、いかにも『軽い』改憲発言が繰り出される傾向も目立つ。実際には全く論点にもなっていない、9条削除論を提唱してかきまわしてみたりするのは、その一例である。日本で憲法論の空間を生きるのは、もっと容易ならぬことだったはずである」(「9条、立憲主義のピース」『朝日デジタル』平成二十八年五月十日)。

何を言ひたいのか分かる読者といふものを私は想像できない。これが私のゼミ生の卒論ならば、私は次のやうに批判もしくは指導することになる。先づ、「改憲を唱える」こと自体は憲法で保障されてゐるのに、それがなぜ「憲法を軽視するスタイルが身についている」といふことになるのか理解不可能である、また、「スタイル」は何のための英語なのか、カタカナ語は安易に使つてはならぬ。次に、「まともだったはずの論者」とは誰のことか、脚注で良いから名を挙げよ、また、「『軽い』改憲発言」とはどのやうなものか、これも注で説明せよ。さらに、九条削除論が「全く論点にもなっていない」とあるが、自民党改正草案や『讀賣新聞』、『産経新聞』などの試案、或いは保守派論客や団体など多くの試案・提言などをどう考へるのか、論点になつてゐるからこそ「九条の会」があるのではないか。それから、「憲法論の空間」云々は何が言ひたいのか、これも理解不可能である。最後に文法的な問題として、他動詞「かきまわす」の目的語が不明であり、「生きる」の主語も不明である……。

こんな文章では、東大法学部はいざ知らず、宮崎大学教育文化学部言語文化コースを卒業するのは難しいが、それはともかく、氏の文章には右の特徴の一、二、四が見事に揃つてゐて、護憲派憲法学者が書く文章の典型と言へよう。

さらに同論文の後半部分において、「私たちが生命・自由・幸福を追求する枠組み全体を支える9条をもっと慎重に扱うことが、国家の安全保障を論ずる前提条件になっている」などと能天気なことを書いてゐるので、特徴の三にも当て嵌まると思ふ。氏は、憲法第九条第二項の存在によつて、我々の「生命・自由・幸福を追求する」ことが不可能であることを理解してゐない（それとも、知つてゐて知らぬ振りか）。九条を普通に読めば、「戦力」を保持せず、（自衛隊があっても）「交戦権」が無いのだ。それでどうして生命・自由・幸福が追求できる道理があらうか（「追記」参照）。

「意匠」を凝らす「思想家」柄谷行人

一方、最近ではかうした法学者たちとは異なる「意匠」を凝らして憲法論議を行ふ「思想家」も出て来た。柄谷行人氏もその一人である。氏の『憲法の無意識』（岩波新書）といふ著作については、哲学者の長谷川三千子埼玉大学名誉教授が『正論』（平成二十八年十月号）で、柄谷氏が「道徳的マゾヒズムの典型例を示してゐること」、それでゐて、「自らの病態に気付いてゐない」所以を見事に論証してゐるのでご参照願ひたい。

私に言はせれば、そもそもフロイトが百年前に「発見」した「無意識」自体、既に数多の批判に晒されてゐる。現代心理学は「『無意識』とは『まやかし』と同じ」と見做してゐるとの説もある。「測定することも検証することもできなかったから」である（ロルフ・デーゲン『フロイト先生のウソ』赤根洋子訳、文春文庫）。専門家ではないので断定は控へるが、未だ「学問」としては未熟な心理学や精神分析学の概念と具体的な社会的・政治的事象とを結び付けて論じても生産的とは思はれない。江藤淳がGHQの民間検閲局による「検閲」を論じたからとて、それをフロイトの『夢判断』の中の「検閲」と対比して論ずるなんぞ、およそ馬鹿げてゐよう。

「思想家」内田樹のお粗末

もう一人、ひねつた「意匠」を凝らすので有名な「思想家」に内田樹氏がゐる。氏も、フロイト、といふよりフロイト学者の岸田秀氏の論を援用する（「憲法がこのままで何か問題でも？」『9条どうでしょう』内田他著、毎日新聞社）。ペリーの来航によつて屈辱的な開国を強要されたことにより、近代日本が「内的自己」と「外的自己」に引き割かれたといふ、ひと頃流行つた説である。しかし、日本人の「集合的無意識」としてのトラウマなんぞ証明されたことは無いし、ましてそれが戦後の日本人にまで「遺伝」したといふこともあり得ない（少なくとも証明されたことは無い）。それに何より、西洋列強により近代化を迫られた国は日本だけでは無いのだから、岸田氏の論も、それに寄りかかつた内田氏の論も思ひ付きの域を出まい。

長谷川氏の指摘の通り、柄谷氏は憲法九条が示すのは日本人の「強迫神経症」だと診断しておきながら、その症状を治さうとはしない。内田氏も全く同様に、我々が「気が狂うこと」で得た「平和と繁栄」を「問題の先送り」の結果だと指摘しながら、それを「疾病利得」だとして、正気に戻さうとは考へないのである。一体、何のための分析なのか。病根を見つければ、それを取り除かうとするのがまともな人間のやることだ。

また内田氏は、改憲派の意図は「どう考えても『戦争ができるようになりたい』というほかに解釈のしようがない」と言ふ。「できるようになりたい」といふ思はせ振りの表現は気に入らぬが、全体的にはその通りであり、それこそ「何か問題でも?」である。それに、「九条」の一項と二項を分けずに一括りにして議論をし、「自衛戦争」と「侵略戦争」の二つを区別せずにこれまた一括りにして論ずる粗雑或いは迂闊は「思想家」にしてはお粗末過ぎるのではなからうか。

それにまた氏は、戦後日本人が人格分裂となつた理由について「日本人が、憲法九条と自衛隊を同時に包摂しうるようなゆるやかで無矛盾的な『統合的人格』を構築するという選択肢を拒否し、この二つをあえて葛藤させたからである」と言ふ（傍点は原文）。しかし、「葛藤」とは人間の心（或いは脳）の中に生じるものであり、九条と自衛隊を「あえて葛藤させた」などといふことは断じて無いし、心理学用語としても誤用であらう。

かやうに杜撰な言葉と思考が生産的なものとなるはずがない。それが証拠に、鳥越俊太郎氏のやうな愚物と同様、内田氏も無責任なことを書いてゐる。即ち、北朝鮮が攻めて来ると日本人も困るが、北朝鮮も困るのだから「『みんなが困る』ような外交的オプションは選択される確率がいい低い。だから心配するには及ばないいいいいい」などと（傍点は吉田）。呆れてものが言へないとはこのことである。

「戦争は悪で、平和は善である」といふ思ひ込み

彼ら「左翼」人士は、戦争はとにかく悪で、平和はとにかく善だと思ひ込み、世には「偽りの平和」と「真の平和」があるといふことを理解しない。そして、真の平和の確立は「正義」や「道義」や「精神」などと、即ち人間性といふものと切り離せないことも分からない。さういふことを一顧だにせずに発せられる言説は、幾ら衒学的意匠を凝らしても、常

に虚しいだけなのである。

【追記】

「交戦権」については稿を改める。八十四頁以下を参照されたい。

某氏は言ふ。「本書でも繰り返し言及しましたけれど、僕は『リスクを過小評価し、最悪の事態に備えない』態度を日本社会の重篤な病だと診立てています」。読者はこの文章は誰のものだと思はれるか。誰あらう、何と内田樹氏の文章なのである(『常識的で何か問題でも?』朝日新書)。右に見たやうに、北朝鮮が攻めて来る「確率が低い」からとて「心配するには及ばない」と氏は書いた。内田樹といふ物書きは二人ゐるのだらうか。尚、この本『常識的で…』については百四頁以下も参照されたい。

西修駒沢大学名誉教授は『産経新聞』(正論欄、令和元年十一月四日)において「東大憲法学の『呪縛』を解こう」といふ見出しの下、「宮沢俊儀氏を源流とする東大憲法学」に対する「違和感」を表明して、宮沢以下、芦部信喜、小林直樹、樋口陽一、長谷部恭男、石川健治の諸氏の説を批判してをられる。石川氏が朝日新聞に書いた記事については、「出席議員の過半数」と「総議員の過半数」とを誤解してゐることを指摘、「このような中学生でもわかる間違いが堂々と朝日新聞に載ったことに、私は『戦慄』を覚えた」と書いてゐる。石川氏には、そして『朝日新聞』

には、何か根本的な学力のやうなものが足りないのではなからうか。

さらに言ふと、東京外語大学教授の篠田英朗(ひであき)氏は『憲法学の病』(新潮新書)において、東大法学部の有名教授たちを痛烈に批判した際――書名は「憲法学」だが実際には「東大憲法学の病」である――、やはり石川健治氏について一章を割き、「断言めいた言説が羅列されるだけで、論証は一切なされない」と批判した。西先生や篠田氏の批判を読むと、素人の私の批判も的外れではないことを実感する。

天孫降臨神話と憲法改正

『日本の息吹』平成二十九年二月号

神話は、人間生活の精神的な可能性を探る鍵である。
――J・キャンベル(1)

文化人類学者クロード・レヴィ＝ストロースは宮崎の聖地、特に鵜戸神宮を回想して、「実に印象深く、また美しかったものですから、神話で語られている出来事は本当にあったことだと、私自身思ってしまったのです」と、江藤淳との対談で語つてゐる(2)。

一読しただけでは、鵜戸山一帯の風光明媚に感動した話に過ぎないやうに見えるが、この言葉の意味を日本での講演(3)の言葉を援用して敷衍すれば以下の通りとなるであらう。

神話と歴史を区別し、検証可能な事象だけを歴史とする傾向のある西洋では、聖書に書かれた出来事を信ずる者であつても、それが生起したとされてゐる場所に行くとしばしば懐疑的になる。そのために、証拠が無ければ神話で箔を付け、同時に神話が神話ではないと主張せざるを得ない。しかし、九州(宮崎)ではそんなことはなく、「聖地の比類無き景勝が神話に豊かさを与へ、審美的次元を付加し、現実的で具体的なものとする」のであり、それゆゑ「伝説の時代と現代の感受性との間に生きた連続性が保たれてゐる」のだと。レヴィ=ストロースは西洋の知性の側に身を置きながらも、「歴史」と「神話(伝承)」は必ずしも峻別できないといふこと、そして「日本神話は歴史の中に溶け込んでゐる」ことを理解してゐた。私もまた、旧臘出版した著書(4)の中で、歴史は有機的な生き物であり、「客観的な歴史」といふものは存在せず、「歴史は物語である」と何度も強調したが、極端に言へば、歴史はすべて伝承された物語といふ意味で「神話」であると言つて良いのかも知れない。

それはさうと、私は自分のゼミに出てゐる学生たちにこの碩学の比較文化的考察を紹介しようとして、ここ数年、右の講演を原文のフランス語で読ませてゐる。しかし、「ニニギノミコト降臨の栄誉を担ふ場所が二つあつても日本では言ひ争ひにはならない」といふ箇所におけるこの「二つ」がどこのことを言つてゐるのか分かつた学生は殆どゐない。学校でも家でも天孫降臨神話を全く教へられてゐないからだらう。私の世代も学校では教へられてゐない。中学校一年の時、掛け軸に書かれた「天照皇大神」を私は読めず、大正生まれの父に驚かれた記憶がある。

レヴィ＝ストロースが「世界の神話の重要テーマがすべて盛り込まれてゐる」とする立派な「神話」が伝へられてゐるのに、それを全く教へないといふのはあまりに愚かな話である。「歴史に非ず」といふのが表向きの理由だが、実際には「天皇制」に繋がることを潔しとしない勢力によつて戦後徐々に排除されたのに違ひ無い。検証可能性を唯一の基準とすれば、歴史は年代記に堕してしまふ。「戦後民主主義」の遺した大きな禍根である。

アカデミー・フランセーズ文学大賞受賞作家オリヴィエ・ジェルマントマ氏はその日本論(5)の中でいみじくもかう書いてゐる。「なにゆえ貴国にあっては、(略)とくに知識階級の人々が、日本神話の忘却を強いる連中の言いなりになっているのでしょうか。(略)日本神話は日本人にとって最大の書物です。この国の若者すべてによって学校で必修されてしかるべきです」と。

我々にとつては耳の痛い主張であるが、全く以て正論である。そして、氏がかう言ふのは、

「およそ地球上の民族、文化にして、世界の起源、人間の情念、運命の歩み、善悪の戦いなどを、まず真っ先に神話の物語から説き起こさなかったものはありません。（略）そこには深い教えが内包され、それによってよりよく生きることを可能ならしめてきたからにほかなりません」といふ信念からである。

日本の再興を願ふ氏の一連の主張を一言で表せば、「自己肯定の勧め」である。だからこそ、次のやうにも言ふのである、「歴史上、いかなる文明も、エゴイズムより強い絆によって民族団結が行われずして花と栄えたためしはありませんでした。貴国においては、この絆は、一にかかって日本それ自体の肯定を国際的な場において断行することにあると言って過言ではありません」と（傍点は引用者）。これも慧眼と言ふべきである。

だとするならば、今後改正されるべき憲法は、素晴らしい神話を持つ幸福や皇室伝統や自然との向き合ひ方など、要するに我が国固有の文化、国柄、国体といつたものを堂々と肯定し、それを内外に闡明するものでなければならない。そして、それをするとしたら、今を措いて他日はないと私には思はれるのである。

（1）『神話の力』ジョーゼフ・キャンベル＋ビル・モイヤーズ、飛田茂雄訳、早川書房、平成四年。

（2）江藤淳『言葉と沈黙』文藝春秋、平成四年。
（3）この国際日本文化研究センターにおける講演の翻訳は二つある。「混合と独創の文化」大橋保夫訳（『中央公論』昭和六十三年五月号）と「世界における日本文化の位置」川田順造訳（『月の裏側――日本文化への視角』中央公論新社、平成二十六年）である。
（4）『言問ふ葦――私はなぜ反「左翼」なのか』高木書房、平成二十八年。
（5）『日本待望論――愛するゆえに憂えるフランス人からの手紙』竹本忠雄監修、吉田好克訳、産経新聞社、平成十年。

［追記］

この拙稿を書いた平成二十九年の一月頃には、私は今度こそ改憲が行はれるのではと相当程度期待感を持つてゐたが、同じ年の五月三日に安倍晋三首相が所謂「加憲」を言ひ出した。今から振り返ると、この後退した「加憲」案の提示が、せつかく熱気を帯びて来た改憲の世論を冷ましてしまつたかのやうに思ひ出される。かういふことは妥協し始めたらキリが無いのだと、当時も思つたし、今も思つてゐる。

当時、保守系評論家の中で、最も強く「加憲」案を批判したのは西尾幹二氏で、この年は『産経新聞』正論欄で二度に亙つてきつぱりと書いてゐる。勿論、第二項削除論だ。

「この二項があるために、自衛隊は手足を縛られ、武器使用もままならず、海外で襲われた日本人が見殺しにされてきたのではないだろうか。（略）陸海空の『戦力』と『交戦権』も認めずして無力化した自衛隊を再承認するというのだが、こんな三項の承認規定は、自ら動けない日本の防衛の固定化であり、今までと同じ何もできない自衛隊を永遠化するという、恐ろしい断念宣言である」（六月一日）。

「憲法改正をやるやると言っては出したり引っ込めたりしてきた首相に国民はすでに手抜きと保身、臆病風、闘争心の欠如を見ている。外国人も見ている。それなのに憲法改正は結局、やれそうもないという最近の新たな空気の変化と首相の及び腰は、国民に対する裏切りともいうべき一大問題になり始めている」（八月十八日）。

全く同感だが、安倍氏の辞任前後の自民党の動きを見ていると、改憲の話なんぞどこにあつたのかといつた雰囲気だつた。この「加憲」について安倍氏の肩を持つ気はないが、自民党の代議士及び安倍内閣の面々に改憲への熱意がどのくらゐあつたのか疑問無しとしない。実際、平成二十八年に国会で改憲支持勢力が三分の二を超えて以降、自民党は改憲について特に目立つた動きは何もしてゐない。前年の衆院憲法審査会での滑稽な顛末（八十二頁参照）や平成二十九年の自民党憲法改正推進本部の勉強会を考へるにつけ（八十一頁参照）、不勉強とやる気の無さはずつと変はらないのである。だから、安倍氏だけを責めて済む問題ではないことは確かであらう。尚、私自身の見解は本書七十九頁の「諦めるのはまだ早い――改憲への道」と八十二頁の「安倍首相の『加憲』は改悪である」を参照されたい。

［追記］の［追記］

安倍氏辞任後の自民党の動きを見てゐると、糸の切れた凧のやうに様々な風に煽られて右往左往してゐるやうだ。阿比留瑠比（あびるるい）氏が「自民党は一皮むけばノンポリ政党である。油断すると、右だらうと左だらうと選挙で当選すればいいという素顔をのぞかせる。実情は、今やピンク色どころか真っ赤な政党であることを隠せなくなった立憲民主党とも、そう変わらない」と書いてゐて、まさに正鵠を射た指摘であると思ふ（「政界なんだかなあ」第二十七回、『正論』令和三年二月号）。

幾つか例を挙げる。先づは、二階博俊氏のやうな人物を幹事長として戴いてゐることだ。が、考へてみれば、野中広務も加藤紘一も幹事長だつたし、河野洋平氏は自民党総裁、福田康夫氏に至つては首相だつた。かうした左翼政治家が実権を握ることの出来る何かが自民党には以前からあるのだらう。

次に、これは阿比留氏も書いてゐることだが、安倍氏が談話として残した「敵基地攻撃能力を含むミサイル阻止」の議論が腰砕けとなり、先送りとなつた。

さらには、「通称使用」が認められたことで、ひと頃は議論熱が冷めたかに見えた「夫婦別姓」問題も急に息を吹き返して来た。実際に、別姓推進派の野田聖子氏が、「議論が活性化しているのはニュートラルな菅義偉政権に代わったことが大きい。伝統的家族観を重視する保守層に支えられた安倍晋三政権下では議論する空気すらなかった」と語つてゐるほどである（『産経新聞』令和二年十二月十三日）。野田氏の主な主張は三つだ。即ち、①姓を変へるのが嫌だから事実婚で暮らす夫婦もゐる、②別姓だと子供の社会的地位が不安定になると懸念して子供を持たない夫婦もゐる、③夫婦別姓を認める国際社会では通用しない、といふものだ。前二者は「さういふ人間もゐる」といふ程度の話であり、同姓と少子化の因果関係なんぞあるはずが無く、主に経済的な問題であるのは明白だ。③については、「国際社では通用しない」とはどのやうな事態なのか、具体的に説明して欲しいものだ。アメリカの前ファーストレディの名はメラニア・トランプであり、フランスのマクロン大統領夫人はブリジット・マクロンであり、ドイツのメルケル首相は別れた夫の姓をそのまま使つてゐる。ジョー・バイデン大統領の二人の夫人（一人は死別）はともにバイデンを名乗つてゐる。彼ら彼女らは「国際社会では通用しない」のか。こんな虚誕の説をなす人間が何度も大臣を務めてゐるのが自民党といふものなのだ。

尚、夫婦別姓が——たとひ「選択的」であつても——如何に危険な思想であるかを知りたい読者には『夫婦別姓大論破！』（八木秀次・宮崎哲弥編、洋泉社）を薦める。しかし、もはや古本でしか入手できず、しかも高値が付いてゐるので図書館で探すよりほかはない。文庫本として再刊されることを願ふばかりだ。

ともあれ、旧臘二十五日、政府が閣議決定した来年度から五年間の女性政策を纏めた「第五次男女共同参画基本計画」では慎重派が推進派を抑へ込んだやうだが、最後には「さらなる検討を進める」などと記されてゐるから、今後どうなるかは分からない。それに、女系天皇の推進者もまた、どことなく勢ひを取り戻し始めたやうに見える。

しかしながら、一方では、十二月二十七日の『産経新聞』によれば、中共やロシアが開発を進めてゐる極超音速滑空兵器（ＨＧＶ）を迎撃するシステムの開発に向けた研究を、防衛省が本格化させることになり、日米共同開発も視野に入れるとのことである。また、攻撃用の「極超音速誘導弾」の研究も進めるといふから大いに頼もしい。尤も、ＨＧＶの迎撃システムは「いまだ世界にない技術」ださうで、まだまだ開発の困難が予想されるけれども。

それから、十二月二十九日の記事によれば、政府が研究開発を進めてゐた新型の対艦誘導弾（新型ミサイル）の射程が約二千キロに及ぶことになり、また、十二式地対艦誘導弾の射程を将来的に千五百キロに延伸する案が浮上してゐることも判明したさうである。これもまた頼もしい限りであるが、前述の自民党の体質を考へると、このやうな戦略もまた腰砕けにならないか不安を拭ひ切れないのである。

「偽善」から「本音」へ
――トランプ大統領就任に思ふ

平成二十九年二月号

旧臘、ドナルド・トランプ氏が合衆国大統領に就任した。政治経験の無いこの「暴言王」に世界が不安や不満を覚えるのも無理はなく、実際にメキシコとの国境の壁など、既に大きな外交問題となつてゐる。勿論、日本も例外ではなく、就任後すぐに自動車業界が「恫喝」された。今後も様々な問題が氏の「暴言」によつて引き起こされるのは間違ひない。

強者の欲求不満は恐ろしい

だが、トランプ氏の就任に対して、「世界が不安定になる」とか「先が見えにくくなる」とかいふ紋切り型の批判もどうかと思ふ。と言ふのも、世界の先行きが透明で分かり易かつたなどといふことがこれまであつたのかと思ふからである。

ともあれ、現在、世界の国々が緊密に入り組んだ関係を結んでゐる以上、往時はいざ知らず、内政が先にあつて外交があるといふ時代ではなく、外交が内政を決定する時代である。そしてこのことは超大国アメリカも例外ではあり得ない。単刀直入で刺激的な言葉を好む氏であるが、実際には随時、側近の閣僚などと相談して公約を微調整してゆくのではないか。軍事力や経済力といふ国家としての「地力」と三億超といふ人口の強みにも支へられたのであらうが、積極的に国内市場を世界に開放して来たからこそアメリカは経済的にも成功したはずなのである。ビジネスの成功者である氏はそのあたりを良く理解してゐるに違ひない。また、強大な権力を持つアメリカ大統領とは言へ、議会や裁判所の介入もあるだらうから、彼が署名する大統領令がすべて実施されるとは考へにくいと思はれる。

いづれにせよ、フィリピンのドゥテルテ大統領の些か乱暴な政策がそれなりに評価されてゐるところを見ても、或いはフランスで「国民戦線」が台頭しつつあるのを見ても、さらにはドイツのメルケル首相の不人気を見ても、トランプ大統領の登場を機に、世界は益々「偽善」から「本音」の時代へと向かつてゆくのではないかと私は想像してをり、このことが我々にとつて最も重要なことだと思つてゐる。

就任式翌日の「朝日」の社説に「一方的に要求をぶつけても何の解決にもならず、貿易戦争のような不毛な対立を招くだけだろう。（略）力ずくで他国をねじ伏せるような姿勢をとれば、その弊害は計り知れない」といふトランプ氏批判の一節があつた。一見尤もさうだが、自国の無力を棚に上げたこの種の批判は殆ど意味が無い。

福田恆存は、米中が接近し、東アジア情勢が緊迫の度合ひを強める中、昭和四十八年に既にかう警告してゐる。「現代の平等主義は強者と弱者との併存といふ現實に目を塞ぎ、兩者の平等を前提としながら、しかも、をかしな事に、強者に對してのみ反省と力の抑制を要求する。が、『義務は強者のもの、權利は弱者のもの』といふ考へ方は近代的平等主義の原理に反するばかりでなく、強者の慾求不滿は弱者のそれよりも恐ろしいものであり、世界平和にとつて破壞的に働くといふ心理學的、或は力學的眞理を忘れてはなるまい」と(「日米兩國民に訴へる」『全集』第六巻、文藝春秋)。その通りである。してみれば、「朝日」の要求は独り良がりの域を出ず、何より大統領は何の痛痒も感じないであらう。勿論、私とて、強大なアメリカに何が何でも追随すべしと言つてゐるのではない。むしろ、トランプ大統領誕生を奇貨として、「本音」をぶつけ合ひ、反論すべきは反論し、そこから我が国の国益を引き出してゆくといふ外交的な知恵が一層求められるであらうと考へてゐるのに過ぎない。

オスプレイ墜落と日本人の没道徳

そのやうに考へる私は、「アメリカ・ファースト」とトランプ氏が堂々と宣言することに何の違和感も無い。「日本を第一優先とする」と安倍首相にも言つて戴きたいぐらゐである。日本さへ良ければ他はどうでも良いといふ意味では勿論ない。けれども、中国の覇権主義、北朝鮮の恫喝外交と拉致問題、韓国の侮日政策、ロシアの利権主義等々、日本の政治経済活動を阻害する問題が山積してゐるにも拘はらず、解決のための努力を我が国はこれまでどのくらゐして来たのか。失策、無策の連続だつたではないか。かういふ国々と対峙するには、対峙して「日本を取り戻す」には、力と知恵が必要なのだ。そしてここで言ふ「力」とは経済力の他に、当然のことだが軍事力を意味してゐる。

旧臘十三日、オスプレイが名護市の東海岸から約一キロの沖合に墜落した。幸ひなことに、五人の乗組員の命に別条は無かつた。防衛省によれば「墜落」ではなく「不時着水」らしいが、そんなことはどうでも良い。各種の報道は、殆どが「それ見たことか」「不安だ」といふ否定的見地からの声だけを取り上げてをり、「乗組員が無事で良かつた」との声は殆ど無かつたし、「回避行動」を取つたとされる乗組員たちへの感謝の言葉も無かつた(マスメディアの情報操作があつたかも知れぬが)。無論、あの翁長沖縄県知事の口から出るはずもないが、せめて稲田防衛大臣からは一言あつても良かつたのではないか。「大変遺憾である」とは何かを言つたことにならない。米軍は「日米安保条約」に基づいて駐留してゐるのである。「日本国の安全に寄与し、並びに極東における国際の平和及び安全の維持に寄与するため」(第六条)の訓練である。言つてみれば、我が国のためではないか(それが延いてはアメリカのためになるといふ戦略的意図があるにしても)。一体どのくらゐの我が同胞たちがこのニュースを聞いて、米兵の安否を気遣つただらうか。どう考へても、それほど多いとは思へない。もしさうならば、日本人は極めて没道徳な人間に堕してしまつてゐることにならないか。私はそれを何よりも恐れる。そして、次に恐れるのがトランプ氏がかういふ日本人をどう思ふかといふことだ。

今や巨匠と言ふに相応しいクリント・イーストウッドは、善人が一人も登場しない西部劇「許されざる者」、老ボクシングコーチがあらゆる希望を失つた愛弟子の自死に手を貸す「ミリオンダラー・ベイビー」、アジア系アメリカ人に差別感情を抱く老人を主人公に据ゑた「グラン・トリノ」を撮つた。いづれも建前や偽善などを排除する思想に貫かれてゐて、人間とは何かを考へさせる傑作だと思ふが、その彼はトランプ氏を支持してゐたと伝へられてゐる。二人の間に共通の人間観があるからだらう。軋轢を避けるための欺瞞や偽善よりも「本音」をぶつけ合ふ方が、「明白なる運命（マニフェスト・デスティニー）」を奉ずるアメリカ人らしいし、何より、「人間的」だと考へてゐるのかも知れない。

日本は「偽善」と縁を切り「強者」に

おそらくトランプ氏は、「日米安保条約」を締結しながら「集団的自衛権」が有るの無いのと大騒ぎする軍事音痴の日本人を軽蔑してゐるであらう。付き合つて「エコノミック・

アニマル」に過ぎないと思へば、なほさら軽蔑するであらう。だから我々は、いつまでも彼のパフォーマンスに一喜一憂する「弱者」ではなく、今こそ憲法を改正して自衛隊を国軍として堅固に位置づけ、日米同盟をより「双務的」なものにする「強者」となることが肝要である。

氏は就任演説で「愛国心の赤い血」を強調してゐたし、抑々米国憲法には「正義の樹立」が謳はれてゐる。氏のキリスト教信仰がどの程度のものかは分からないが、T・S・エリオットによれば、キリスト教徒の本質は「拒否と排除」である（「パスカルの『パンセ』」『文芸批評論』、矢本貞幹訳、岩波文庫）。我々は軍事上の意志をはつきりと示して、これまでの「偽善」と縁を切るべきで「自衛隊は軍隊ではない」などと言つてはならぬのである。

［追記］

昨秋行はれたアメリカ大統領選挙ほど、私も含めて多くの日本人が強い関心を持つた選挙は無かつたであらう。アメリカ本国でも稀に見る投票率と接戦のため、メディアが連日熱を込めて取り上げた。そして、敗北したかに見えたトランプ大統領が違法選挙が行はれたと裁判を起こし、あちこちの州で公聴会が開かれたり、遂にはテキサス州がジョージア州など四州を連邦最高裁に提訴するといふ騒ぎとなつたりと、ある意味で米国といふ大国の「民主主義」の未熟が露となつた。トランプ大統領が訴へてゐたやうな数々の違法行為が本当に行はれてゐたのかについては、私には判断材料が無い。けれども、郵便投票は如何にも不正が行はれやすいと思ふし、民主党支持者による各種の違法行為も「火の無い所に煙は立たぬ」と考へてゐる。しかし、連邦議会は違法を認めず、一月七日、漸くトランプ氏は「政権移行に協力する」として、言はば「敗北」を認めた。

このやうな結果については、日本人としてはそのまま受け入れるだけである。確かに、我が国に原爆を落としたトルーマンから北朝鮮を甘やかしたオバマ氏まで、民主党政権の時にはたいてい日本は憂き目を見て来たし、バイデン新大統領もまた親中派らしいので、我が国の国益から見れば共和党のトランプ氏に勝つて欲しかつた。

しかし今回の選挙報道で私が最も興味深く思つたのは、アメリカのメディアの極めて露骨な民主党贔屓である。CNNやABC、それに「ニューヨークタイムズ」「ワシントン・ポスト」紙など大手メディアはほとんどが「反トランプ」キャンペーンを行ひ、報道の目指すべき「公正・中立」など薬にしたくもない感じだつた。それに、選挙前においてバイデン氏の圧倒的優勢を喧伝した。つまり、四年前も今度も予想が外れた訳だが、それは反省してゐないといふより、一つの政治的態度であるやうに思はれる。とにもかくにもトランプ大統領の再選を阻みたかつたといふことであらう。

前大統領によつてアメリカが「分断」されたとか「二分された」とかマスメディアは言ふが、あの国はずつと以前から保守系とリベラル系とに「分断」されてゐたのではなからうか。そして、その原因を作つて来たのはマスメディア自身であらう。二大政党制といふことも関係してゐるかも知れない。

それから、日本のメディアの多くが、かうした左派系メディアの後追ひ報道ばかりしてゐたやうに見えたが、こちらは深刻である。左派系同士の親和性といふものがあるのかも知れないが、外国のことなのだから、もう少し客観的な報道は出来なかつたのだらうか。バイデン氏の圧勝予想やトランプへの批判的報道など「コピペ」のやうな報道をし、「バイデン待望論」を垂れ流した結果、米国メディアと同じ過ちを今度もまた犯した。しかし、トランプ氏の対中国、対北朝鮮、対韓国の政策はオバマ路線の修復を含めて瞠目するべきものがあつたし、拉致問題にも非常に大きな関心を寄せてくれたではないか。評価できるものはする、といふ是々非々主義を貫かないと、報道としての信頼性が益々先細りになるであらう。いや、既に「情報強者」からは見捨てられてゐると言へる。『朝日新聞』が昨年純損益で約四百十九億円の赤字を出し、渡部雅隆社長が本年四月に退任することになつた。朝日側はコロナ禍拡大の影響を第一の理由としてゐるが、それは他紙も条件は同じなのだから理屈に合はない。悪いのはいつも自分以外の何かや誰かであり、さういふ姿勢が指弾されてゐるのが分からないところが、如何にも『朝日新聞』

である。

ところで、古森義久氏に『国際報道の読み方――特派員記事に気をつけろ』（ネスコ）といふ本があり、そこにはこんな驚くべきことが書かれてゐる。

日本国内の報道記者の養成システムは各社とも確立されてゐるのだが、特派員のはうは個人任せのところがあり、「任地の言葉がほとんどできないで赴任する特派員や、外国人がそもそもきらいという特派員が出てくる」のださうである。さういふ特派員は「ニュース・ソースから直接に情報が得られないから、アメリカの通信社電や新聞記事から情報をひろいあげることになる。それをもとに書く記事は、アメリカ人の記者たちがすでに報じた情報のコピーにすぎなくなる」と。

昭和六十（一九八五）年の刊行だから情報としては少し古い。その後だいぶ改善されてはゐると思ふけれども、「コピペ」同様の記事や論説を読まされると現在でもそれほど状況は変はつてゐないのではないかと思はされる。

それとも、例へば『朝日新聞』の特派員が独自の情報を得てそれを東京に送稿しても、社風に馴染まぬとて「ボツ」にされるのだらうか。

［追記］の［追記］

右の［追記］を書いた後、アメリカ通の島田洋一福井県立大学教授の「バイデンの近衛兵と化した米メディア」（『WiLL』連載コラム「天下の大道」令和三年一月号）に接した。米メディアの偏向ぶりを拙文と同じ視点から指摘されてゐて意を強くしたが、「ワシントン・ポスト」の異常なまでの「党派性」について、その理由を私は知らなかつた。「民主党政権誕生の暁に、ホワイトハウスや各省庁の広報関係幹部職などに登用されることを念頭に行動する者も少なくない」さうで、要は「民主党政権誕生を睨んだ『就職活動』の側面がある」といふ訳だ。洵に「恐れ入り谷の鬼子母神」である。

しかし、今回の俄かには信じ難いやうな「自由と民主主義の国」アメリカの醜態を我々が知ることには意味がある。特に、「民主主義」はそんなに有難いものかと今一度考へる縁（よすが）とするべきだ。なぜなら、勿論「自由」もさうだが、「民主主義」もまた諸刃の剣であり、使用法を誤れば怪我をするのである。

「民主主義（デモクラシー）」といふ語はギリシャ語のデーモクラティア（demokratia）に由来し、その意味は「民衆（デーモス）」が「力（クラトス）」を持つ政治体制のことであるのは知られてゐよう。そして、理想的な政体として語られることが多い。だからこそ、日本でも「民主」の付く政党名が幅を利かせてをり、「北朝鮮民主主義人民共和国」なる独裁国家も存在する訳である。しかし、少し考へれば分かるやうに、「民衆」が常に正しいとは限らず、何より民衆同士の意見や利害が対立することがある。さうなると、「船頭多くして船山に上る」事態、少し大袈裟に言へば、パスカルの言ふ「内乱」となりかねない。「最大の災ひは内乱である。もし人々が功績を認められたいと欲するなら、内乱は必至となる。誰でも自分こそがそれに値すると言ふであらうから（『パンセ』）。アメリカがまさにさうであり、我が国も大なり小なりさういふ傾向無しとしない。

この「民主主義」といふ言葉と思想を、その来歴と思想的展開を古代ギリシャから通時的に検討した野心的著作（『民主主義とは何なのか』文春新書）において、長谷川三千子先生はこの語が抑々「いかがわしい言葉」であつた歴史的事実を挙げてをられる。アリストテレスにおいては「邪道にそれた国制」でもあつたのだ。それがどうして「良い意味」にも使はれるやうになつたかについては右の本を参照願ひたいが、我々にとつて最も重要な点は、デーモクラティアが「かつてギリシャの小王国に見られたような、王から人民までが共同体の神の前にひとしくぬかずいて共に祈るという国のあり方が崩壊したことをつげ知らせている言葉である」（傍点は原文）といふことだ（これと対極にあるのがどこの国なのかは言ふまでもない）。従つて、「人間の不和と傲慢の心とを煽りたて、人間の理性に目隠しをかけて、ただその欲望と憎しみを原動力とするシステムが民主主義なのである」とは先生の結語である。

戦後ずつと、「アメリカがくしゃみをすれば日本が風邪をひく」といつた俗諺が言はれて来た。

なぜか最近は聞かなくなつたけれども、アメリカの政治・経済・文化の影響は弱まつたどころか、ヨーロッパからの影響が弱まつた分、むしろ以前より強くなつてゐると思ふ。だが、何事によらず、いつまでもアメリカ頼みで良いはずがなからう。国の成り立ちや血塗られた歴史からして人口国家アメリカと日本は全く異なるのだから、手本となる国ではない。

アメリカは我が国が戦争をして敗れた相手であり、東京裁判の主導国であり、憲法を押し付けて来た相手であるから、日本にとつてはあくまでも旧敵国である。しかしながら、戦後、フルブライト・プログラムやガリオア・エロア資金（後に返済を求められたが）など、様々な救ひの手も差し伸べて来たといふ事情があるし、（米国にとつて「損して得取れ」といふ知略であつたにしても）、国家として最も重要な安全保障を米国任せにして来たのだから、今さら「反米」を叫ぶ資格は我が国には無い。フランスの哲学者ジャン＝フランソワ・ルヴェルが書いてゐるやうに、「超大国アメリカの台頭は、いうまでもなく、他の国が自ら犯した失策を原因とする、弱体化や崩壊、発展の欠落がもたらした結果である。しかし、それらの国は、この事実を認めようとしない」のである（『インチキな反米主義者・マヌケな親米主義者』薛(せつ)善子訳、アスキー・コミュニケーションズ（嫌悪感無しには読めない俗悪な邦題。原題は『反米といふ妄想――その作用・原因・矛盾』である）。だから、我々は己の失敗や弱さを認めた上で、しつかりと自らを持し、何かにつけて「アメリカでは…」と言ふ「出羽守(ではのかみ)」にならないやうにしたいものだ。

我が日本国はアメリカなんぞとは比較にならないくらゐ「民主的」である。少なくとも、あれほど構造的欠陥を有する選挙はしてゐない。それに、我々は皇室伝統を戴いてゐる以上、「民主主義」とは別の価値軸を堅持してゐるのであり、それを大切にしなければならない。その点を深く考究した松原正はT・S・エリオットに倣ひ次のやうに書いてゐる。「他國の文化を理解しようとする場合、その理解は所詮外側からの理解でしかない。そして外側と内側とに同時に立つことは出來ないのだから、他國の文化に過度に淫しておのが文化の何か大事なものを失ひ始める前に、吾々ははたと立止まらなくてはならない、（略）これは本當のことだ。恐ろしいほど本當のことだ。吾々もそろそろ立止まらなければならない」（『天皇を戴く商人國家』地球社）。

我々は既に「何か大事なものを失ひ始め」てゐるのかも知れぬが、皇室伝統と国語と国柄だけは失つてはならぬのである。

平成二十九年六月号

「論語読みの論語知らず」
――宍戸常寿東大教授よ、しっかりせよ！

石川健治東大法学部教授の杜撰な文章を批判して、「東大法学部はいざ知らず、宮崎大学教育文化学部言語文化コースを卒業するのは難しい」と私は書いたことがある（二十四頁参照）。そして再び、我が宮崎大学なら卒業できさうにない御仁の文章を目にした。驚いたことに、執筆者がまた東大法学部教授であり（正確には、法学政治学研究科教授）、掲載されてゐたのは産経新聞社発行の『正論』だつた。

何を言ひたいのかさつぱり分からない

その文章とは、『正論』六月号に載つた宍戸常寿氏の「これまでの憲法論議に欠けていたこと」である。通読したものの、私には何を言ひたいのかさつぱり分からなかつた。そこで再読三読したのだが、それでもなほ良くは分からなかつた。専門家ならば、難しい話を素人にも分かるやうに書いて欲しいものだ。『正論』は一般総合誌ではないか。

それに何より、氏は「山門から喧嘩見る」、即ち、改憲・護憲の議論を「高処（たかみ）で見物」してゐるだけであつて、従つて、その文章は読者を些かも裨益しない。正直、「いい気なものだ」と私は思つた。未読の読者には分からないと思ふから、以下、具体的に文章の欠陥を指摘する。

先づ目に付くのは、カタカナ語の頻出だ。約七千三百字の文章の中に五十八回も出て来る。下手にカタカナを使ふと文意が多義的になるものだ。「メディア」や「バランス」ぐらゐは良いとしても、「政治プロセス」は三十四回登場し、「政治アクター」といふ語も四回出て来る。前者は普通言はれる「政治過程」と異なるのだらうか。後者の「アクター」は「行動主体」といふやうな意味なのだらうが、敢へてカタカナにする意図も不明だ。読者はこれら両語の登場する次の文章を理解できるだらうか。

「現代国家の実体は、政治家、公務員、市民の活動の総体の機能連関である。そして、そのような政治アクターの活動が一定の手続きに従って組織され方向づけられることで、国民はその都度形成されるものと捉えるのが、政治プロセスの実態にかなっている」(一八九頁)。公私を含む「政治アクター」が一定の手続きで方向付けられれば「国民がその都度形成される」とは何を言ひたいのか分からないし、そして、そのやうに「捉えるのが、政治プロセスの実態にかなっている」などと続くと私にはもう皆目分からない。

第二に、氏はありもしない(あっても大勢ではない)状況を前提に、それを批判するといふ形で論を進める癖があるやうだ(最近ではこれをストローマン(straw man)論法と呼ぶらしい)。ある意味では狡猾である。例へば、「憲法改正の是非を、個別の条文や提案から離れて議論するのは、生産的でない」(一八六頁)と書いてゐる。一見尤もらしいが、私自身は「条文や提案」から離れた議論など読んだことも聞いたことも無いし、自分でもしてゐない。また、かうも書いてゐる。「〔改憲派・護憲派の〕合意形成ではなく、打倒殲滅のトーンが強まれば強まるほど、憲法論議に対する大方の国民の関心が冷めていくのも、至極当然のことであろう」と（一八七頁）。

ここで「殲滅」（＝皆殺し）の語はいくら何でも大袈裟で不適切だし、そもそも「合意形成」のために相手の非を指摘するのは当たり前であり、相手が頑迷ならこちらの声も大きくなるのは仕方のないことだ。それに、そんなことで「国民の関心が冷めていく」ことは断じて無い。実際、昨年宮崎市で行はれた改憲派と護憲派の公開討論会は大盛況だつたし、登壇した私も、それぞれの応援団の熱気を壇上で大いに感じたものである。護憲派のことは知らぬが、改憲派の開く集会や講演会は今なほ大入りであり、「関心が冷めて」などゐない。

仮定形にすれば何を言つても良い訳ではない

こんな記述もある。「日本の地位や独立性が向上しないのはもっぱら9条のせいだといわんばかりで『改憲』を説くとすれば、それもまた憲法の機能を誤解するものである」（同頁）。「説くとすれば」と仮定形にすれば何を言つても良い訳ではない。「日本の地位や独立性」は勿論大事なことであるが、九条改正派の主な論点は、九条の出自も内容も首肯し得ず、現状にも合はぬから、有事の際に国を守ることができるやうに自衛の戦力保持を憲法に明記しようといふことなのだ。それは戦争抑止にも繋がるはずだ。

氏は改憲派の論文を読んだり集会に出たりしたことがあるのだらうか。それかあらぬか、「合理的な外交・防衛論議ができるように9条を改正し、軍の存在とその統制を正面から憲法に掲げるべきだという主張は、確かに傾聴に値する」とも書いてゐる（一八八頁）。発表場所が『正論』だからか、改憲派への秋波なのかも知れぬが、良く考へて欲しい。我々改憲派は「防衛論議ができるように」九条を改正したいのではない。「平和主義」を守るのではなく、「平和」そのものを守りたいと思つてゐるだけなのだ。

そして、今の引用に続けて氏はかう書いてゐる。「しかし、軍事組織は公務員組織の原型であるが、公務員組織一般を有効に活用することも、汚職等の弊害を防止することも、現在の政治プロセスは不十分である。憲法によって公務員組織一般から隔離することで、それよりも実効的な組織統制ができるかどうかは、定かでない」（同頁）。「汚職等の弊害を防止する」「政治プロセス」なんぞ、いつの時代でも「不十分」であらうが、そのことと後段の文章と何の関係があるのか。「隔離」の意味も分からないし、「それよりも実効的な組織統制」も何の事やら不明である。それに、人間のやることは大抵「定かでない」のだ。

支離滅裂な文章

この論文の中で唯一、さほどの疑問無しに読めるのは次の箇所である。「この70年、日本で憲法改正が現実の日程に上らなかったのは、主要な政治アクターと国民の間の憲法に対する意見の違いが、十分摺り合わせられなかったという事実を反映するものであろう」（一九二頁）。自民党の数度にわたる「解釈改憲」といふ弥縫策や、旧社会党の「自衛隊は違憲だが合法」といった馬鹿馬鹿しい物言ひが曲がりなりにも通用して来たのは、確かに我が国の中での「摺り合わせ」が行はれなかつたからである。ただし、それは政府も国民も駝鳥よろしく、見たくない現実を見ないやうにして来た恥づべき怠惰が理由である。

この直後の文章を全文引く。少し長いが、宍戸氏の文章が如何に支離滅裂かが分からうといふものである。「国民一人一人の内側でも、『自衛隊は認めるが、憲法9条は変えたくない』『家族は大事だが、憲法24条を改正するのは困る』という類の意見が併存していることは想像に難くない。これまでは、こうした現実の国民の憲法意識の複雑さ、多様さに対する顧慮が、『改憲』『護憲』の双方に欠けてきたのではないか。憲法と国民に対する自己の理解の無謬性を信じ、世論調査の結果を自らに都合良く摘み食いするのではなく、国民の中の複雑さ、多様さを摺り合わせて収斂させる作業こそ、憲法論議の作法とすべきではないだろうか」（同頁）。

絵に描いた餅

嗚呼、「顧慮」！　これが「これまでの憲法論議に欠けていたこと」なのか。「戦争はイヤだ！」なんぞといふ子供じみたプラカードを持つて歩く人たちの何を「顧慮」せよと言ふのか。どことどこを「擂り合わせる」のか。かういふのを「絵に描いた餅」と言ふのである。

『正論』も『正論』である。このやうな無味乾燥且つ勿体振つた文章を載せるのは何のためなのか。文章が文章だけに校閲に身が入らなかつたのか、「立憲主義の後（正しくは「語」）」といふ誤植もある。猛省を促したい。宍戸氏にしても、長年法学や憲法を勉強して来たのだらうから、次に原稿依頼があつた時には、もう少しマシなことを書いて貰ひたいものである。

［追記］

ある機会に本稿を西修先生にお見せしたことがある。拙稿を読まれた先生は「宍戸氏は東大ではまだマシですよ」と仰つた。東大法学部の闇の深さを思ひ知つた瞬間であつた。

ＷＧＩＰの呪縛を伝統とし、悪文ばかり書く東大法学部教授たちの中では「まだマシ」といふことだから、宍戸氏には文章がもう少し上手になるやうに、文章を書く際の要諦（ようてい）を進言しておきたい。ただし、私が言ふのでは説得力に欠けるので、レトリックの専門家の言葉を伝へたい。

「書くときには、理想的読者を頭に浮かべるのがいいでしょう。いま、誰に向って書いているのか。理想的とは、現実にぴったりの読者がいなくても、書き手が狙いを定める読者のことです。読者の経験値（知識量や向学心など）の予測に応じて書き方を変えなければなりません。いつも同じ調子ではいけないということです」（瀬戸賢一『書くための文章読本』インターナショナル新書）。拳拳服膺して貰ひたい。

尚、宍戸氏が自民党で行つたつまらぬ講演については八十一頁を参照されたい。

五分で分かる！
――なぜ憲法を改正するべきなのか

「宮崎県神社庁報」（平成二十九年八月二十九日発行）

片方に「日本は憲法九条のお蔭で戦後ずつと平和だつた」と言ふ人がゐて、もう片方に「日本の平和は日米安保体制のお蔭である」と言ふ人がゐます。しかし、両者とも間違つてゐます。我が国固有の島々を不法占領され、漁民が自国の排他的経済水域で自由に漁ができず、何よりも、不法に拉致された多くの同胞が未だに祖国の土を踏めずにゐる国のどこが「平和」なのでせうか。

このやうな現実を見ない観念的な「平和ボケ」を我が国に蔓延させた元凶は、GHQの行つたWGIP（ウォー・ギルト・インフォメーション・プログラム＝戦争の罪悪感を日本人に植ゑ付けるための教育計画）です。憲法策定もその一環であり、特に前文や九条などは「詫び証文」のやうな性格を持たされてゐます。このやうな憲法を装つた「不平等条約」（加瀬英明氏）を後生大事に戴く必要は全くありません。今こそ、独立国にふさはしい自前の憲法を持ちたいものです。

以下、現行憲法を改正するべき（できれば全面改定するべき）主な理由を箇条書きで挙げます。

①憲法は我が国が連合軍の占領下にあり、国家主権を奪はれた時期に作られたものである。

主権が無いといふことは憲法を作成できる条件を欠いてゐるといふこと（「現行憲法無効論」が唱へられる理由）。原文は英語であり、自国語以外で作られた憲法は、それだけで独立国の憲法たる資格なし。

②占領国の憲法を新たに制定することは国際法違反である。

「占領者は占領地の現行法規を尊重すべし」（一八八九年「ハーグ陸戦法規」四十三条）。同じく「現行憲法無効論」の理由。

③日本国憲法は日本語で起草されてをらず、翻訳であるから不明瞭な悪文もあれば誤訳もある。

九条の「国際紛争を解決する手段としては放棄する」といふ日本語は、「国際紛争を惹起する手段としては放棄しない」と読むことが可能（「は」といふ副助詞に注意）。曰くありげに「国権の発動としての戦争」とあるが、原文は「国家の主権としての戦争（war as a sovereign right of the nation)」といふ常識的な意味に過ぎない。前文の冒頭の一文（「日本国民は……この憲法を確定する」）は句読点を入れて百五十字。新聞だと十三行にも及ぶ無謀に長い悪文。前文の「平和を愛する諸国民の公正と信義に信頼して」は内容も馬鹿げてゐるし、「～に信頼する」とはまともな日本語ではない（「追記」参照）。七条「天皇の国事行為」四項にある「国会議員の総選挙の施行を公示すること」も不適切。参議院（あまり役には立たないが、一応、国会議員）は半分づつの改選なので「総選挙」は無い。憲法の悪文は「真ノ憲法ニ非ズ。早ク改訂セヨ」といふ先人の仕掛けた暗号か。

④憲法は寄せ集めの条文から成つてゐる。

法律の素人の民政局員二十四名が、英語で読める文献（「アメリカ独立宣言」や「スターリン憲法」等々）を参照しながら約一週間で作成。我が国固有の歴史や文化など「国柄」に触れた文章は皆無。九条第一項は一九二八年の「パリ不戦条約」第一条を踏襲しただけ。世界の国々の八十四パーセントが採用の「平和条項」であり（「追記」参照）、護憲派の言ふやうな「世界に誇るべき宝」ではない。

⑤九条は「占領基本政策」である。

マッカーサーは本国から送られて来た指令「降伏後における米国の初期の対日方針」（一九四五年九月二十二日）に従つただけ。その冒頭には、「日本国が再び米国の脅威となり、又は、世界の平和と安全の脅威となることなきを確実にせよ」とある。つまり、日本の武装解除を完遂せよ、といふ指令に基づき条文化されたもの。

⑥憲法九条の二つの項は矛盾している。

第一項は積極的な平和追求条項であるが、第二項は「交戦権を認めない」のだから、そもそも自衛（＝正当防衛）の権利も封じられてゐると読める。従つて「名誉ある地位」「他国と対等関係」「全力をあげて」など望むべくも無し。それに何より、十一条の「基本的人権」や十三条の「生命・自由・幸福追求の権利」（憲法最重要項目）を否定してゐる。第二項は存在してはならない。

［追記］
本稿は宮崎県神社庁から憲法改正の意義について分かり易く書いて欲しいと依頼されて書いたものである。ところで、後になつて気づいたのだが、「終戦の詔勅」に「爾臣民ノ赤誠ニ信倚シ」云々とあるから、「～に信頼する」も文語的には可能なのかも知れない。信倚は信頼のことである。しかし、現行憲法は文語体ではないのでやはり平仄が取れてゐるとは言へないであらう。
また、「平和条項」の採用率であるが、西修先生の最新の研究成果によれば、二〇一九年八月現在で、一八九カ国中一六一カ国であり、八五・二％である（『憲法の正論』産経新聞社）。
尚、「交戦権」については本書八十四頁以下を参照されたい。

［追記］の［追記］
旧臘二十日に出版された百田尚樹氏の『百田尚樹の日本国憲法』（祥伝社新書）の中に、右の「に」

についての記述がある。氏も「短期間で翻訳したものだから、このようなおかしな日本語になったのです」と言つてゐるが、「翻訳したものだから」といふことよりも、おそらく訳者の中に明治生まれで「～ニ信倚シ」といふ文語体が身に染み付いてゐた人物がゐて、たぶん文語体とも意識せずに使つた可能性のはうが高いと私は思ふのだが、どうだらうか。

尚、この本で知つたことだが、平成二十六（二〇一四）年十月に、当時衆議院議員だつた石原慎太郎氏が衆院予算委員会で安倍首相に、この「に」は「明らかに間違い」として訂正を迫つてゐる。それに対して安倍首相がどう答へたかについて、なぜか百田氏は書いてゐないのでネットで会議録を調べてみると、安倍首相の及び腰に改めて呆れ返らざるを得ない。

「しかし、一字であったにしても、これを変えるには憲法改正が伴うわけでございます。そこは、「に」の一字でございますが、どうか石原議員におかれましては、忍の一字で…」。最後は洒落のつもりなのだらうか。これは本気で改憲を志す政治家の答弁ではなからう。後に腰砕けとなる兆しがここに既にはつきりと表れてゐたのだ。

それにしても、この安倍首相の答弁を百田氏が書かなかつた理由は何なのであらうか。私には非常に興味深い。

東大法学部の闇
——木村草太氏のお粗末

平成二十九年九月号

東大法学部に卒論なし

私は欠陥だらけの我が国憲法の改正に反対する人々の論理を知らうとして、数年前から憲法学者たちの本を読み始めた。そして憲法学者のうち、東大法学部関係の学者の文章が非常に下手糞で非論理的であることを知つて喫驚した。勿体振つた文章も目立つた。私は本紙において既に石川健治・宍戸常寿両教授の文章を批判したが、偏差値の高い大学出の彼らがなぜさうなのかは今一つ分からなかつた。

しかし最近、『Hanada』七月号の中野剛志氏と松原隆一郎氏との対談「国を滅ぼす東大改革の真相」を読んで腑に落ちたのであつた。中野氏はかう言つてゐるのだ。「実は、東大法学部には卒論がありません」と。法学部の事情に疎い私は驚倒すると同時に、「卒論を書いたことがない人には、研究の何たるかが分からないのです」との中野氏の発言を至極尤もだと思つた。また、松原氏も、「卒論を書かないと（略）、学問のこうした思考様式〈仮説・調査・論証など〉に触れないで、〈日本国憲法第何条には何が書いてある〉とか、〈誰々先生がこう言っている〉式の、始めから答えが決まっている知識を覚えるだけになってしまいます」と応じてゐる。話の全体は東大出身の官僚たちについてなのだが、法学部の教員にも言へることであり、否、「学問」といつた点からすれば、彼らにこそ一層当て嵌まる指摘と言へよう。

一方で、哲学者中島義道氏が自らの体験を描いた『東大助手物語』（新潮文庫）を読んでみると、東大法学部の人事についてこんな驚くべきことが書かれてゐた。法学部では教授に認められた「最も優秀な学生」は、大学院には進まずに学部卒からすぐに助手となり、ポストの空きがあれば二十歳代後半でそのまま東大もしくは旧帝大の准教授となり、三十歳代前半で教授になるのださうだ。学位としては法学士のままである。私の属する世界では博士課程までの在籍と留学も必要で、順調に行つてもおよそ十年程度は遅くなるであうから、如何に驚異的な出世速度かが分かる。中島氏によれば、安定した将来を約束することで、官僚や法曹界への人材流出を避ける狙ひがあるらしい。だとすれば、この路線に乗ることのできた卒業生は極めて優秀といふことになる。

東大法学部のお家芸「ストローマン論法」

若手の憲法学者木村草太氏はこの典型だらうと思ふ。東大法学部を卒業した後、助手を三年やり、およそ二十六歳で首都大学東京（現・都立大学）の准教授、十年して教授に就任してゐるからである。やがては東大に戻る可能性も少なくないのではなからうか。

しかしながら、氏が本当に「優秀」かどうか、私には疑問である。代表作かどうかは知らぬが、『テレビが伝えない憲法の話』（ＰＨＰ新書）を読んでみたところ、もう序章から私は認めることができない。とにもかくにも現行憲法を擁護するといふ姿勢に貫かれてゐて、内的葛藤の跡が無い一方的な文章だからである。

具体例を挙げる。悪名高き憲法前文にある「平和を愛する諸国民の公正と信義に信頼して、われらの安全と生存を保持しようと決意した」といふ文言に関して木村氏は次のやうに書く。「最近、この文言を〈非現実的な理想主義〉だと非難して、削除すべきだと主張する人がいる。確かに、外交は、利害得失と権謀術数が渦巻く厳しい世界である。しかし、それと同時に、外交は儀礼・礼節の世界でもある。（略）そのために、〈外国の皆さんを信頼しています〉と挨拶しているわけである。この文言を削除するということは、外国に対し、〈お前らを信頼しない〉と宣言するに等しい」云々と。

これは論理学で言ふ「論点無視の虚偽」の典型である。例の文言は「非現実的」とは言へても、別に「理想主義」ではない。「理想主義」などと誰か本当に言つてゐるのだらうか。誰も言つてはゐない（少なくとも大勢ではない）ことを否定して論を進めるのは——最近では「ストローマン論法」と言ふやうだ——石川、宍戸両教授と同じであり、東大法学部のお家芸なのかも知れない。また、そこを削除したからとて、他国を「信頼しないと宣言する」ことになる道理が無い。この「零か一か」「all or nothing」といふ極端な一元論も彼らは得意である。私を含む削除論者は「今後はおとなしく皆さんの言ふ通りにしますから、命だけは助けて下さい」といふ「詫び証文」のやうな言葉が不適切であるから削除を主張してゐるのだし、第一、この作文はGHQ製なのであつて、日本人が自発的に「決意した」ことなんぞ、断じてありはせぬ。

「護憲派の神」と言はれた宮沢俊義を継いだ東大憲法学二代目の芦部信喜はこの同じ文言について、この「平和主義は（略）消極的なものではな」く、「平和構想を提示したり、国際的な紛争・対立の緩和の提言を行ったり」といふ「積極的行動」を要請してをり、「そういう積極的な行動の中に日本の平和と安全の保障がある、という確信を基礎にしている」（『憲法（第四版）』岩波書店）と書いてゐる。だが、その種の「積極的行動」が戦争や紛争に繋がる可能性があるといふことを承知して言つてゐるのか疑問無しとしないし、何より、「確信」とは誰の確信なのか。要するに、「憲法を作つたのは誰か」といふ点に触れずに条文を解釈する憲法学は、いくら精緻な学問を気取つても、砂上の楼閣に過ぎない。

脈々と続く東大憲法学の系譜

木村氏は「日本国憲法はアメリカの贈り物である。日本の憲法原理はアメリカのそれと等しい」（『改憲の何が問題か』岩波書店）などと不見識なことを書く長谷部恭男東大名誉教授（現・早大教授）と、「9条を維持しようとする立場は、9条が自衛隊の拡張にブレーキをかけてきたということのみならず、我々が追求すべき理想のシンボル的意味をもつことを強調する」（『立憲主義と日本国憲法（第2版）』有斐閣）などと呂律の回らぬ文章を書く高橋和之東大名誉教授の弟子筋であり、彼らは芦部の弟子らしいから、東大憲法学の系譜は脈々と続いてゐるのだが、常識的に見て、我が国の不幸であらう。

理屈と膏薬はどこにでも付く

もう一つ、私が認めることのできない大きな問題は、「押し付け憲法論」を巡る木村氏の論理である。氏は「日本国憲法はGHQだけが作ったものではない」とし、「〈押し付け憲法論〉は国民が自ら憲法を制定すべきと主張するのだから、国民主権を前提とする。しかしながら、国民主権原理自体、GHQ案により導入されたものである。となると、〈押し付け憲法論〉は、GHQが〈押し付けた〉国民主権原理に反するから、GHQの押し付けはおかしいという議論構造になっていることになる」、だから、「こうした不合理で首尾一貫しない議論が相手にされないのも当然だらう」と「押し付け憲法論」を悪し様に貶(けな)してゐる。「理屈と膏薬はどこにでも付く」といふ類である。

当時の日本は、先帝陛下をある意味では人質に取られ、帝国議会他での憲法議論をずつと監視され、最終的にはマッカーサーのお墨付きが得られなければ何一つ決めることができなかつた被占領国である。このやうなＧＨＱへの隷属状態を知つてゐてなほ「ＧＨＱだけが作つたものではない」と氏は強弁するのだらうか。たぶん、するのであらうが、笑止である。

さらに、「国民主権原理自体、ＧＨＱにより導入された」と言ふが、原理の導入とは裏腹に、占領中には日本国民に主権が無かつたといふ厳然たる事実はどうするのか。前文の「ここに主権が国民に存することを宣言し、この憲法を確定する」といふ文言は中学生でも分かる虚偽である。この虚偽の裏にはＧＨＱによる占領期の各種の政策があつた訳で、即ち「押し付け憲法」だつたのは言ふまでも無いのである。

昭和五十三年、蓮實重彦氏が『反＝日本語論』で讀賣文学賞を受賞した時、「週刊文春」の匿名書評家「風」（その後、『朝日新聞』の名物記者百目鬼恭三郎(どうめききょうざぶろう)であると判明）は、「東大仏文出身のフランス文学者はみな斜に構えたものの言い方をする、とは聞いていたが、これほどつまらぬことを仰々しく気取って、しかもねちねちと論じているのは、まだ見たこなからうか。

とがない」と書いた。名言だと思ふが、この評言は東大法学部出身者にも言へることではなからうか。

［追記］

精神科医の和田秀樹氏の『東大の大罪』(朝日新書)によれば、東大の理系学部においては「同じ世代の中で最も優秀な人間が教授になる」のに対し、文系学部には「同期でいちばんバカが教授になる法則」といふのがあるさうだ。もしこれが正しいとすれば、文中に引いた『東大助手物語』における中島氏の指摘は事実と少し違ふのかも知れない。が、優秀かどうかはともかく、自分と同じ考への弟子を優遇するといふことは如何にもありさうな話であり、その典型が東大法学部ではなからうか。

尚、私の知人で東大法学部を卒業して修士課程に進学した人物がゐて、彼によれば、学部でもそれなりに、大学院のゼミではかなりの量のレポートを書かされるので論文書きの修業が全くなされてゐない訳ではないとのことであるが、木村氏は大学院での研究はしてゐないし、先生たちが先生たちなのであのやうな独り合点の文章しか書けないのであらう。

ともあれ、東大法学部で教育を受けたかうした「偏差値エリート」たちが、或いは全国の大学で教員となり、或いは法曹界や官界に進むのだから、東大法学部出の憲法学者や弁護士や政治家及び官僚が非常識なはずである。因みに、豊田有恒氏の『東大出てもバカはバカ』(飛鳥新社)で名前が挙がつてゐる東大出の殆どが法学部出身であるといふ事実はやはり何かを物語つてゐるのではないだらうか。

［追記］の［追記］

科学史・科学哲学の村上陽一郎東大名誉教授のエッセイ集『あらためて教養とは』(新潮文庫)を読んでゐたら、東大法学部の教育システムが論じられてゐたので紹介しておきたい。

教師が目を付けた学部学生を助手に採用するといふところまでは中島氏の説と同じである。一般に助手といふものは「教授の使い走り」であり雑用に追はれるのだが、しかし「東大法学部の助手だけは、一切そういう仕事をしない」。では何をするかと言ふと、「助手である時代に徹底的に勉強する。その間に、外国へもやってもらう。そこで十分な成果を上げた人間がポンと助教授になる」。不思議なのは「この間大学院は無視されていることになります。つまり、東大の法学の大学院に博士号取得のために進んだ人は、東大には残らないという原則になっている」ことである(実際に、大学院で博士号を取得した北岡伸一氏は最後には東大教授になつたが、その前約二十年間、立教大学で教へてゐた。北岡氏については百三十八頁参照)。そしてそのことは「そもそも法学部学生には四年間で法学の基本はたたき込むぞということを意味しているわけですよ。でもね、学問としてはそれでもいいかもしれないけれど、そういう形で法学部を卒業した学生が、司法試験を通って弁護士になる、あるいは裁判官になるから変なことが起こるんです。ろくに人間を知らない。ろくに社会を知らない。そういう人間は困るんですよ」と村上氏も批判的に書かれてゐる。

右の中で私が一番驚いたのは、大学院軽視のシステムである。これは穿つた見方をすれば、記憶力は良くてもあまりモノを知らない若い学生を教授が手懐けて、自分と同じ思考法へと誘ふといつた高等戦術と言へなくもないやうな気がするのだが、どうだらうか。博士課程まで進むなら大学院で都合五年を過ごす。二十二歳から二十七歳まで勉強を続けるのだから、学問的に進化もすれば深化もする。人間的経験も増える。さうなると、学部卒の教授よりも優れた知識と見識を持つ法学者が誕生する確率は高い。しかし、東大には採用されない。自分より優れた人間を採用しないといふ大学人事によくある悪弊の典型ではなからうか。こんなことをしてゐれば、東大法学部に未来は無いと知るべきだ。

「甘やかされた子供たち」
――衆院選を振り返つて

平成二十九年十一月号

先の衆議院選挙において最も印象的だつたのは、民進党の政治家たちが晒した無様な姿であつた。小池百合子氏といふ稀代の策士の手に掛かり、多くの男たちが振り回された格好だ。だが、彼らの醜態を浮かび上がらせたといふ点では、小泉進次郎氏ならずとも、「小池さん、ありがたう！」と言ひたくなる。

政策論争無き選挙戦

もはや民進党では選挙に勝てないと思つてゐた前原誠司代表以下の面々は、希望の党に合流すれば小池人気に肖ることができると踏んだ。だから、九月末の両議院総会において満場一致で希望の党に入る事を決めたのだ。この主体性の欠如は、新党を作らうといふ時、党名を公募した政党だけのことはあると思ふ。

それかあらぬか、小池氏が「排除」の可能性に触れたことにより、民進党出身者たちが周章狼狽したが、私はそのこと自体に驚いた。別の政党に合流するのに、「政策」について何も考へてゐなかつたことが判明したからである。希望の党の大敗は小池代表の舌禍だけが理由ではなく、彼ら自身のかうした無能の所為なのである。ただただ「安倍一強政治打倒」を叫んだだけで、選挙戦全体を通して政策論争なんぞ殆ど無かつたではないか。

だから私は、小池代表が安保法案と改憲を合流の条件とすると言つた時、むしろ彼女を少しだけ見直した。政治家が政策によつて離合集散するのは当然だからである。「政策協定書」には「外国人参政権付与に反対する」とも書かれてゐた。これらの「踏み絵」を読んだ時、私は中山恭子女史が突如として希望の党に参加した理由が分かつたやうな気がしたものだ（時事通信社の田﨑史郎氏はテレビで、「旦那さんを当選させるためですよ」と半畳を入れてゐたけれども）。しかし、選挙後は希望の党が第二民進党化しつつあり、中山成彬元文科大臣夫妻の動向が注目される。

小池氏の独断・側近の醜悪

ところで、小池新党支持が急速に衰退した切掛けは彼女の「排除」発言であるとの声をしばしば聞く。京都大学名誉教授の佐伯啓思氏もその言葉に原因を求め、「せめて〈お断りしたい〉程度なら問題はなかったろう」と書いてゐた（『産経新聞』十月二十九日）。しかし、それだけだらうか。私のやうに、ある時点で彼女を見直した国民も結構ゐたのではないか。

私はむしろ、小池氏が独りで記者会見を開き、党名を発表したあたりが分岐点だつたらうと思ふ。それまでトロイカ体制を組んでゐるやうに伝へられてゐた細野豪志氏と若狭勝氏を、言はば公衆の面前で袖にしたのである。そこに多くの国民は彼女の都政と同様、「独善的」「自分勝手」「冷血」といふ印象を持ち、それが最後まで響いたのではなからうか。

一方、細野氏と若狭氏も醜悪そのものだつた。右の「協定書」には「現行の安全保障法制については、憲法に則り適切に運用する」とあつた。然るに、二年前の安保法制論議の際、細野氏は「この安保法は戦争法だ。廃案しかない」と民主党の政調会長として声高に主張してゐたのだ。「二枚舌」としか言ひやうが無い。また、当時自民党議員でありながら、「安保法採決の時は欠席した」と誇らしげに嘯く若狭氏も、その厚顔無恥を満天下に晒した訳で、「協定書」と彼らのこれまでの主張との整合性に多くの国民は疑念を抱いたはずだし、当然、民進党各県支部は大混乱に陥つたことであらう。

恥の上塗り

さうかうするうち、十月に入つてすぐに枝野幸男氏が立憲民主党を結成し、結果的にそれなりの議席を獲得したのだが、彼らも例の両議院総会では希望の党への合流を画策してゐたのだし、それが無理と分かつて急ごしらへをしただけのことだ。だから今更ヒーロー振るのは見苦しい。恥の上塗りではないか。

それにまた、立憲民主党といふ党名は、立憲主義と民主主義を合成した造語であらう。前者は護憲派リベラルたちによつて「国家権力を監視し縛るもの」といふ意味づけがしばしばなされるが、本来はそんな意味づけとは無関係だ。旧臘刊行した拙著（『言問ふ葦―私はなぜ反「左翼」なのか』高木書房）にも書いたことだが、「立憲主義」は「憲法主義」とも訳せる語であり、要するに「憲法中心主義」といふことでしかないのである。専門の辞典にも「憲法に基づいて政治を行うという原理」と端的に書かれてゐる（『法律学小辞典（第三版）』有斐閣）。さらに、この辞典のもう少し先を読むと、「日本の立憲主義」という項目があり、そこには「現在では、民主主義・議会主義が明確に規定されているのであるから、この概念の果たす役割は少ないといってよかろう」とある。思はず笑つてしまふが、ともあれ「名は体を表す」といふから、おそらくは前途多難となるのではないか。

「安定多数」は本当か

かうして見ると、今次の衆院選は小池氏によつて仕掛けられた地雷を、左翼人士が次から次へと踏んで大怪我をし、その間隙を縫つて安倍自民党が大勝したかに見えるのだが、「安定多数」とは名ばかりで、改憲一つ取つても決して安定などしてゐないから困つたものだ。

安倍首相は今回「国難」といふ言葉を使つた。しかし、その国難の最大のものである安全保障の問題を、一体どのくらゐの自民党候補が正面から国民に訴へただらうか。「九条改憲は票にならない」といふ自民党古参議員の談話を読んだことがある。

私は本当に政治家たちに問ひたい。現行憲法で国民にとつて最も重要な条文は第十三条である。そこには「生命、自由及び幸福追求に対する国民の権利については、（略）最大の尊重を必要とする」と書かれてゐるからだ。然るに、憲法第九条の所謂「第二項」には「戦力は、これを保持しない。国の交戦権は、これを認めない」とある。交戦権すら無しに「生命、自由、幸福の追求」ができる道理があるのか。あるのなら教へて欲しい。同時に、交戦権が無い以上、そもそも自衛隊は無用の長物ではないか。「自衛隊は違憲だ」と言ふ多くの憲法学者の意見は、条文を理屈無しに読む限り正しいと私は考へる。ただ、私はだからこそ、世界に二つと無い、この存在すべからざる第二項を削除した上で自衛隊を明確に憲法に位置づけるべきであると考へる。

しかし、自民党にもこのことの重要性を理解できない議員も多数ゐると思はれる。例へば、宮崎選挙区第一区で当選した武井俊輔議員は選挙後の新聞のインタビューで、「自衛隊が憲法に位置づけられていないのは適切とは言えない」と言ひながら、「ただ、位置付け方は丁寧な議論が必要。変えることが目的ではない」と語つてゐるのだ。金正恩が「丁寧な議論」が済むまで待つとでも言ふのだらうか。ただし、第三区選出の古川禎久(ふるかわよしひさ)議員は「九条二項は削除し、自衛権を明記する必要がある。（略）二項は交戦権を認めず、主権国家としてはあり得ない」といふ正論を吐いてゐたのが救ひである。

「甘やかされた子供たち」

今回の選挙を振り返ると、私にはスペインの哲学者オルテガが言ふところの「大衆人」が、左右・保革を問はぬ、右のやうな不見識な政治家たちと重なつて見えるのである。オルテガの言ふ大衆人とは「第一に、生は容易で豊かであり限界が無く、それゆゑ、自分の中に支配力と勝利を実感する。第二に、この実感が、自分の道徳的、知的財産は立派であるといふ自己肯定に繋がり、そして、この自己満足によつて、自己批判をしなくなり、しかも支配感情に左右されて、この世には自己とその同類しかゐないやうな行動を取ることになる。第三に、自分の凡俗な意見を、配慮も内省も手続きも無しに強行しようとする」といふものである。時代も分析対象も全く異なるが、まるで彼らのことを言つてゐるやうではないか。

そしてまた、オルテガは以上の「大衆人」を一言で「甘やかされた子供たち」と命名してゐる。これまた当て嵌る。では誰によつて甘やかされたのか。言ふまでもあるまい。彼らと同じく「大衆人」が跋扈する左翼系マスメディアによつてである。所詮、彼らは同じ穴の狢なのだ。（オルテガ『大衆の反逆』神吉敬三訳、ちくま学芸文庫。ただし、紙幅の関係で適宜略述した）。

［追記］

立憲民主党の主だつた面々の破廉恥ぶりと低能ぶりには「精神科を受診せよ」と言ひたいぐらゐであるが、学歴エリートが多い割にどうしてあのやうな為体（ていたらく）なのか、その理由が今一つ私には分からなかつた。しかし、評論家の八幡和郎（やわたかずお）氏が見事に謎解きをしてゐるので紹介したい。その論文は「野党は『腐った魚』だ」（『Hanada』令和二年四月号）である。

この中で八幡氏はかう書いてゐる。「民主党政権崩壊後、野党議員の殆どは、政権に復帰したくないのである。それにはある種の合理的な理由がある。野党の国会議員は気楽でいい商売なのだ」と。なぜ「気楽でいい商売」と言へるのか。以下、箇条書きで列挙する。

・無責任に政府を攻撃してゐるだけで関連経費まで含めれば年に四千万円も貰へる。
・野党議員には陳情もあまり来ないし、各種団体の会合に出る機会も少なくて済み、「うるさ型」の有能な秘書を雇ふ必要も無い。
・多くの野党議員にとり、与党としての経験は「ほろ苦い」ものであつた。

以上のことから、「本気で政権を狙うより、『憲法改正反対』を掲げて、朝日新聞など偽リベラル系マスコミに応援してもらって、三分の一狙いに割り切ったほうが楽しい、というのが立憲民主党路線といえる。柄にもあわない与党になって、己の身のほど知らずを痛感したし、〈何人かは〉元大臣の肩書もあるし、楽しい人生だ」と八幡氏は書いてゐる。一見、単なる揶揄のやうに見えるかも知れないが、彼らのあまりの不甲斐なさを見るにつけ、私には真相を穿（うが）つた説明のやうに思はれる。

諦めるのはまだ早い
——改憲への道

『心ひとつに、力をあわせ。』（日本会議二十周年記念冊子、非売品）、平成二十九年十一月二十七日発行

五月に安倍晋三首相が改憲について触れ、九条をそのまま残し、自衛隊を明記した条項を付け加へたらどうかとの提言を行つた。私は驚倒し、かつ落胆した。しかし、もつと驚

いたことに、日本会議と縁の深い方々や指導層とも言へる保守系知識人の多くが、安倍首相の発言を「現実的」なものとして容認する判断を様々な媒体で披露し始めたのだ。

東京で起きてゐることに疎い私はキツネにつまれたかのやうに感じた。さうではないか。九条のあの所謂第二項を残して自衛隊を明記する「加憲」に何の意味があるのか。むしろ「自衛隊は戦力ではないのか」「そもそも交戦権が無いのだから、自衛隊は無用の長物である」といふ不毛な議論の種を護憲派に与へることになり、自衛隊を「矛盾の存在」として固定化してしまふことになるのではないか。容認論を色々と読んだが、今以て私は納得できない。

安倍首相の「政治とは結果だ。評論家、学者ではない。立派なことを言ふことに安住の地を求めてはいけない」といふ言葉に、諸家は深く感じ入つたのであらうか。私は「政治は結果」といふ言葉は理解するが、しかし、九条第二項を削除した上で、名実共に自衛隊を明記しようとする主張が「立派なことを言ふことに安住」することであるとは全く考へない。むしろ逆ではなからうか。

私は一昨年あたりから、宮崎県内で日本会議宮崎や宮崎県神社庁の協力を得つつ、「九条二項は存在してはならない」といふ講演を三十数回行つた者である。公開討論会でも登壇した。護憲派左翼の跋扈する大学の教員といふ立場からすれば、「安住」どころではなく、多少の「危険」はあつたし、今もある。だが、講演会後のアンケートによれば、圧倒的多数の人々が改憲の必要性を理解するし、確信もするのだ。護憲派から「転向」した人も少なくない。

日本会議が（勿論自民党も）今後行ふべきは、真の改憲への啓発を全国津々浦々で倦まず弛まず行ふことなのではなからうか。諦めるのはまだ早いのである。

［追記］

些か私事に亙るが、この原稿を没にされたら「日本会議」を辞めようと思ひながら投稿した原稿である。掲載してくれた編集部には敬意と謝意を表したい。

これより半年ほど前の安倍首相「加憲」発言の後、改憲への熱が全国的に下がつたやうに思はれた。が、特に自民党が「改憲への啓発」を熱心に行つたかは疑問である。内部的な研修会は行つたかも知れないが、外に開かれた、つまり一般市民（場合によつては反対派）を対象とした研修会は少なかつたのではないか。

平成二十九年六月六日に、自民党の憲法改正推進本部が勉強会を開いたのだが、講師は何と私が批判した東大の宍戸常寿教授であつた（本書五十頁参照）。自民党のホームページによれば、宍戸氏は「憲法の運用・解釈、改正は政治プロセスが絶えざる社会の変化に対応するための自己修正のプロセスの一環」だと述べたと言ふ。相変はらず「プロセス」が好きらしいが、要するに「社会の変化に合はせよ」といふ常識的一般論に過ぎない。また、「現実の日本社会の置かれた歴史的時間の中で適切な対象（改憲項目）を選ぶことが国民への説得力となる」とも語つたやうだ。こんな勿体振つただけの初歩的な話を、数十人の自民党国会議員たちは有難く拝聴したのだらうか。

さう言へば、自民党は平成二十七年六月、衆院憲法審査会で安全保障関連法案を審議した際に、自民党推薦の参考人として長谷部恭男氏（早大教授・東大名誉教授）を呼び、「集団自衛権の行使は憲法違反である」と意見陳述されて大恥をかいた過去がある。参考人の日頃の主張も調べることなく招致したのであらう。恐るべき勉強不足である。こんなことで改憲を主導できる訳が無い。

平成三十年三月号

安倍首相の「加憲」は改悪である
——九条第二項は削除するべし

正直、困つたことになつたと私は思つた。暮れも押し詰まつた旧臘二十六日付け『産経新聞』の正論欄に、百地章氏が『9条2項』改正派に誤解はないか」といふ文章を寄せられたのだ。周知のやうに、百地氏は長年に亙り明快な文章で正論を説いて来られた憲法学者である。実は私は何度か酒席を共にしてをり、「趣味はジョーク」と仰る明るく闊達なお人柄も存じ上げてゐて、かねて敬愛してゐる方である。

百地章氏の「正論」に困つた

しかし、その氏が安倍首相の「九条はそのままに、別項で自衛隊の保持を明記する」といふ例の案に賛成しつつ、問題の第九条所謂第二項にある「戦力の不保持」と「交戦権の否認」について、それらがあると「外国の侵略に対処できないと誤解している向きもあるようだ。しかし、現状でも対処は可能である」と主張されたのである。

なぜ困つたのか。私はこれまで本紙で石川健治・宍戸常寿両東大教授と木村草太首都大教授について、彼らの拙劣な文章と思考の杜撰を批判して来た。だから、自分と同じ保守系・改憲派の先達だからと言つて意見が異なつた時に沈黙してゐては面目に係はる、しかし相手は選りに選つて百地教授である、と思つたことが困惑の理由の一つである。そしてもう一つは、私が三年ほど前から宮崎県内で三十数回、「九条第二項は存在してはならない」といふ講演を行つて来た者だからである。私の講演を聴いて下さつた方々には『産経新聞』

の読者も多いだらうから、私の話を訝しんだ人も少なくないはずだ。その後も、十月末には「日本会議設立二十周年記念」の冊子に、「諦めるのはまだ早い」と題して、飽くまでも第二項削除の立場から私は次のやうに書いてゐるのだ。

「九条のあの所謂第二項を残して自衛隊を明記する『加憲』に何の意味があるのか。むしろ『自衛隊は戦力ではないのか』『そもそも交戦権が無いのだから、自衛隊は無用の長物である』といふ不毛な議論の種を護憲派に与へることになり、自衛隊を『矛盾の存在』として固定化してしまふことになるのではないか。容認論を色々と読んだが、今以て私は納得できない」(『心ひとつに、力をあわせ。』本書七十九頁参照)。

「誤解している向き」として百地氏の念頭にあつたのは、おそらく西尾幹二氏や長谷川三千子氏だつたのではないかと思はれるが、理屈の上では私も含まれることになる。従つて、私は私で反論するのが義務だと思ひ、以下、私の務めを果したい。

意味不明の「交戦権」

しかし、私の議論と今回の百地氏の所論とは論点に於いて若干の相違が認められることには注意されたい。つまり、氏は現行憲法の枠内でも有事の際に「対処可能」だと指摘され、私の方は専ら憲法の文言と護憲派の反応を問題にしてゐるのである。

百地氏が「対処可能」と言はれる理由は、自衛隊法に、「防衛出動命令」が出されれば、「わが国を防衛するため、必要な武力を行使することができる」と書かれてゐるからだ。確かに、理論的にはそのやうに「対処可能」なのかも知れない。さうだとしても、否、さうであればなほさら正々堂々と「我が国は自衛のための戦力を保持する」と国の内外に闡明するべきではなからうか。この点、百地氏も「自衛隊を軍隊として位置づける必要」を説いてをられる。しかし、憲法はどこまでも言葉であるから言葉の上の整合性が必要であり、誰が読んでも同様の理解を得られる明確なものにしなければならない。さうしなれば、今後も「自衛隊は違憲の可能性があるといふ意見もある」と教科書は書き続けるであらうし、憲法学者の「自衛隊は違憲である」といふ見解も決して無くならないであらう。「陸海空の戦力は、これを保持しない」といふ文言を削除するべきだと考へる所以である。

次に「交戦権」であるが、この語を普通に読めば、「戦ひを交へる権利」といふ意味にしか取れない。百地氏はさう解する「憲法学者もいる」とされた上で、しかし、「国際法学上の通説は『交戦当事国の有する権利』と解しており、わが国政府も同様に、『交戦権』とは『交戦国が国際法上有する種々の権利の総称』と解釈してきた。それゆえ『交戦権』が否認されたからといって侵略国と戦えなくなったわけではない」と書いてをられる。

しかし、「国際法学上の通説」と言はれても、法学と無縁な一般の国民は知らないし、学界の「通説」が正しいとも限らないのではないか。それに、手許の『法律学小辞典（第三版）』（有斐閣）における「交戦権」の項には「国際法上も交戦権の用例は少なく、その意味は必ずしも明らかではないが、国家の戦争を行う権利、あるいは交戦法規の意味とみられる。〔しかし〕否認するということを重視すれば、国際人道法を含む後者とみるべきではなく、前者の意味でとらえるべきであろう」とある。無論、辞典もまた常に正しいとは限らないけれども、「その意味は必ずしも明らかではない」との指摘は重要である。憲法策定の責任者とも言へるケーディス（ロー・スクール出身）さへ後年「交戦権」の意味を訊かれて「当時も今も分かりません」と答へてゐるほどである（西修『いちばんよくわかる！ 憲法第９条』海竜社）。さうであれば、意味の不明確な用語を残すことに何の意味があるのか疑問だし、また、第九条の制定経緯を考慮に入れれば、この言葉を「国際法学上の通説」を引いてまで検討する必要は無いのではないかと素人の私は思ふのである。

「加憲」は現実的か

かう考へて来ると、やはり「戦力不保持」と「交戦権の否認」を残して「自衛隊」を明記する「加憲」は愚策であると言はざるを得ない。そんなことをすれば、自衛隊を改めて「矛盾の存在」として位置づけてしまひかねず、それは九条の「改悪」にしかならない。自衛権を確保するために「前項の目的を達するため」といふ語句を挿入した所謂「芦田修正」も、どう考へても日本語として曖昧さが残るのだから、九条の第二項をすべて削除して、その上に自衛隊（国軍）を位置づけることが重要である。その方が百地氏が憂へてをられる「空白ゾーン」を埋めるための「自衛隊法改正」もやり易いのではなからうか。

かつて百地氏自身も、我が国の主権と独立がしつかりと守れる防衛体制整備のためには、「まず憲法第九条二項をすみやかに改正し、自衛隊の法的地位を明確にしなければならない。それによって、第九条をめぐる長年の不毛な論争に終止符をうつことができる」と書かれたはずだ（『憲法の常識　常識の憲法』文春新書）。全くその通りなのである。だが、百地氏に限らず、改憲論の主導的役割を果たして来られた学者・評論家の多くが安倍首相の提案に「現実的」であると賛同してゐて、私にはその理由が分からない。「政治とは結果だ。評論家、学者ではない。立派なことを言ふことに安住の地を求めてはいけない」といふ安倍首相の言葉に、諸氏は深く感じ入つたのであらうか。

一説には公明党の問題があると言ふ。しかし、公明党もかつて「ＰＫＯ協力法」に賛成し、「イラク復興支援特別措置法」にも賛成してゐる。呆れたことに自民党にも護憲派議員がゐるやうなのであまり期待はできないが、自民党が本来やるべきなのは、公明党への条理を尽くした説得ではないか。だが、政治家に非ざる我々は論理の赴くところに赴けば良いので、我々の役割はそれ以上でもそれ以下でもないと私は思ふ。
福田恆存は「保守派は無智といはれようと、頑迷といはれようと、まづ素直で正直であればよい。（略）常識に隨ひ、素手で行つて、それで倒れたなら、そのときは萬事を革新派にゆづればよいではないか」と書いてゐる（「私の保守主義觀」『全集』第五巻、文藝春秋）。私は名言だと思つてゐる。

［追記］
この原稿が掲載された『時事評論石川』を私は百地章先生に郵送した。批判的に対峙した以上、面識のある方なので黙つてゐては失礼と思つたからである。その後、メールでご返信を戴いたが、私が最も知りたかつた「交戦権」のやうな曖昧なものをどうして改憲論の中で無理に位置づけようとされるのか、といふ件については触れられず、むしろ、改憲の「現実的可能性」の方を重視されてゐた。
西修先生は、憲法九条のあるべき解釈として、右に引用した本の中で、「放棄しているものは何かと言うと、『侵略戦争』であり、侵略のための『武力による威嚇又は武力の行使』です。保持されないのは、「侵略戦争を目的とする陸海空軍その他の戦力であり、そして認められないものは、自衛権の範囲を超える『交戦権』である」と述べてをられる（ただ、「自衛権の範囲を超える」といふ表現は曖昧さが残るのではないか)。

解釈としては明快であり、西先生ご本人も書いてをられるやうに、「きわめて簡単、単純な結論」である。しかし、それは現行憲法の条文に欠陥があることを認めつつ条文を学理と常識で考へればかう解釈できるといふものであり、その意味では論理的で有効であるが、それでもやはり別の解釈や意図的歪曲は跡を絶たないであらう。だから、私が言ひたいのは、折角改憲を目指すならば、「戦力の不保持」と「交戦権の否認」といふ誤解の元凶を削除して、誰が読んでも共通理解が可能となるやうな条文に変えようといふことに過ぎない。

一方、名著『憲法学の病』(新潮新書)における篠田英朗東京外語大教授は「交戦権」について歴史的且つ国際法的視点も導入しながら、つまり、西先生とはやや異なる観点から説を展開してゐる。即ち、国連憲章成立後は「戦争は一般的に違法となった。(略)合法的な武力行使は、自衛権か集団安全保障によってだけ、基礎づけられる。国家には戦争を始める権利があるといふ『交戦権』思想は、1946年の段階ですでに、法体系の根本から否定されるものとなっていた」。だから、「憲法が『交戦権』を否認しているのではない。まず国際法が『交戦権』を否認した。日本国憲法は、それを遵守すると宣言しているだけだ」といふ訳である。学理としてはこの通りであらう。

篠田氏は「自衛権」「集団保障」を認めてゐるので、東大法学部教授たちを首(はじ)め左翼リベラル系の憲法学者たちとは一線を画してゐる（氏は西修先生と同じで、早稲田大学政治経済学部卒）。しかし、それでもやはり「交戦権」といふ語の削除が必要だといふ私の考へは変はらない。ハーバードのロースクールを修了したケーディスでさへその意味が分からないと言ひ、法律学辞典までがきちんと定義できないやうなものを後生大事に戴く必要がどこにあらうかと思ふのだ。篠田氏の解説が如何に学理を備へてゐても、その説明に新書判二十二頁も割かれてゐることは重要だ。つまり、それだけ言葉を費やさなければ「正解」に至らないこと自体が異常ではないか。

篠田氏は非常に優れた国際政治学者であるに違ひ無い。しかし、学理を重んじてか、学者の分を守らうとしてか、「改憲」への志向をあまり明らかにしてゐない。氏には今後、その国際政治学的知見を活かしながら、現実の世界情勢と向き合ふ「あるべき憲法」への道を模索して貰ひたいものである。私はこの好漢に期待してゐる。

右の本篇を書いた時に私の念頭にあつた関連論文は、西尾幹二氏「思考停止の『改憲姿勢』を危ぶむ」（『産経新聞』正論欄、平成二十九年六月一日、のち『国家の行方』産経新聞出版に所収）であり、長谷川三千子先生の場合は『九条を読もう！』（幻冬舎新書）である。それ以後も、小堀桂一郎先生が「9条2項論議は主権問題である」（『産経新聞』正論欄、平成三十年四月二十五日）において、「政権担当者諸氏は、（略）この条項が如何に愚かな経緯で憲法に入つてしまつたかを知つて戴きたい」と書かれ、長谷川先生も「いまこそ憲法9条2項の削除を」（『産経新聞』正論欄、令和元年八月七日）において、「『交戦権』は（略）自国の主権維持のために戦う権利」であると明快に断じ、「これ〔九条二項〕は完全に自国の主権を否定した条文です」と縷々説いてをられる。私はこれらの主張がむしろ「現実的」なのだと考へる者である。

尚、歴代政府の「必要最低限の実力組織」といふ何とも意味不明な用語については二百八頁以下を参照されたい。

〔追記〕の〔追記〕

私が右の如く期待してゐる篠田英朗氏がネットの「現代ビジネス」（令和二年九月十六日）に「菅新総理が憲法9条について行うべき『たった一つのこと』」といふ文章を書いてゐて、興味深く読んだ。だが、論点がたくさんあり、しかも込み入つた書き方なので少々分かりにくかつたが、重要な論点のうち私なりに理解したところを以下、箇条書きで書く。

・本来必要なのは「間違った憲法解釈を放逐することであり、実は改憲それ自体ではない」。

・憲法九条第二項が否定してゐるのは「あくまで『戦力（war potential）』〔＝戦争潜在力〕である。第二項にある「陸海空軍」は『戦力』としての『陸海空軍』のことであり、『軍隊』一般の禁止を意味していない」。

・新首相が九条について行ふべきことは、「国会で、『自衛隊は、軍隊であり、合憲である』と宣言することだ」。

三つ目の結論は少し分かりにくいかも知れない。要するに、国際法は「自衛権」の主体としての「軍隊」を否定してゐない。「自衛」するのに「軍隊」が必要なのは理の当然といふことであらう。従つて、自衛隊が国際法に則り自衛権を行使する「軍隊」である限り、「自衛隊の存在は、違憲ではない」といふことだ。そしてかやうな「正しい憲法解釈に対する理解が深まれば、国民投票をへた9条改憲など必要なくなる」とも主張する。

これもまた私は学理としては納得できるが、いくら正しくても、中学生から大人まで等しい理解が得られる文言に改訂することが重要だといふ考へに変はりはない。氏も「GHQ草案のwar potentialといふ語を一九四六年当時の日本政府が『戦力』といふ法的緻密さには馴染まない日本語で翻訳してしまったところから混乱は広がった」と書いてゐるではないか。そこまで分かつてゐるなら、事は憲法問題、即ち言語問題なのだから「法的緻密さに馴染む」やうな言葉に変へようと思ふはうが自然であらう。

ここで私案を書いておきたい。九条について色々と論じてゐる以上、義務でもあらう。できるだけ簡素且つ明快を心掛けたつもりである。

一、日本国民は、侵略を目的とした戦争を行はない。

二、日本国民は、侵略された場合、もしくは侵略の明白な危機が迫つた場合には戦ふ。

三、前項のための軍隊を保持する。
「法的緻密さ」を有してゐるかは分からないが、「屁理屈」無しに読めば、中学生から高齢者まで同じ理解に達するのではないか。

閑話休題。篠田氏の先の提案「自衛隊は、軍隊であり、合憲である」と菅首相が国会で言つたらどうなるか。「もし野党や一部憲法学者が『自衛隊は軍隊であり合憲である』という見解を違憲だというのであれば、そのときこそは憲法解釈を確定させる改憲案を提示し国民の合意を求めればいい」と氏は言ふのだが、如何なものか。左翼側は違憲だと言ふに決まつてゐるし、「正しい憲法解釈に対する理解が深まれば」とは少しお気軽に過ぎないか。それを言ふには、どのやうにして国民に「理解」を深めさせるのかを言ふ必要があるが、それは書かれてゐない。私はそこまで楽観的にはなれない。改憲講演会に参加するやうな人たちでさへ、憲法についての知識はあまり豊富ではないのが現状だ。自民党も一般人に対する啓蒙をすること頗る少ない。たぶん、篠田氏の周りには聡明で学識豊富な人たちしかゐないから、こんなことを言へるのではなからうか。

それから、氏は「交戦権」については、「国際法には存在していない概念である」と一蹴してをり、「それは、太平洋戦争中に真珠湾攻撃を正当化した信夫淳平（しのぶじゅんぺい）ら大日本帝国の学者が標榜していた概念であった」と指摘してゐる。

尚、氏は令和二年十二月から、『産経新聞』正論欄の執筆陣に加はつたやうだ。一般人を相手にしたより積極的な提言を期待したい。

平成三十年八月執筆

戦後リベラル砦の「三悪人」
——大江健三郎・筑紫哲也・河野洋平

四十年以上前のことになるが、大江健三郎は自身の著書『状況へ』を文芸雑誌の編集者安原顯（やすはらけん）（のちに「スーパーエディター」と言はれるやうになつた）にコラムで批判されると、正面から反論せずに安原の上司（中央公論社社長）に「垂れ込み」の手紙を書いた人間である。自分では「圧力」をかけてゐるのではないと言ひながら、「谷崎賞選考委員を辞める、中央公論社からの連絡を一切拒否する」などと恫喝し、会社員たる安原を窮地に陥らせた。すべては計算尽くのことであり、しかも僅か一年後には何食はぬ顔で選考委員に復帰してゐる。こうした大江の卑劣で不誠実な人間性はその後の社会的言動の中でも顕著に見られ、「戦後民主主義」の虚妄を体現してゐる人間だと思ふ。

卑劣と言へば、ニュースキャスターとして虚名を博した筑紫哲也も同様である。ＴＢＳ側が撮影した坂本堤弁護士の主張をオウム真理教側に伝へた結果、弁護士一家が殺害されるといふ大事件が起きた。このニュースを伝へながら筑紫は如何にも沈痛な表情を浮かべながら「TBSは死んだに等しい」と語つた。しかしTBSは営業を止めず、本人も出続けた。それから六年後、『週刊金曜日』の記者が拉致被害者曽我ひとみさんとのインタビューを、オフレコといふ約束を破り録音して記事にしたことが問題となつた時、自らがこの週刊誌の編集委員であることを隠してその記事を弁護した。筑紫もまた嘘と偏向を恥ぢない卑劣漢であつた。

平成五年八月、筆者はたまたまドイツを旅行中で、駅のキヨスクに置かれた「ヘラルド・トリビューン・インターナショナル」紙の第一面に、河野洋平の苦痛の表情が大きく載つてゐたのを覚えてゐる。「総じて強制があつた」と語つた記者会見の写真である。「冤罪」も悪事と同様に千里を走るのだ。今なほ「強制連行」を巡る誤報が国際的に下火にならないのは、あの時の写真と官房長官談話の所為だ。『朝日新聞』さへも認めた誤報を未だに訂正せず、何の責任も取らうとしない元自民党総裁は「国賊」といふ言葉が似つかはしい。

（敬称略）

［追記］

『正論』（平成三十年九月号）が「リベラル砦の三悪人」（黒澤明の時代劇「隠し砦の三悪人」

の捩り）といふ特集を組み、それに関連して一般読者の小論文（八百字以内）を募集した。遊び心もあつてすぐに応募したのが右の拙稿である。十一月号で「優秀作」四篇が掲載されたが、拙稿はそこにはなかつた。

以下は「引かれ者の小唄」と思つて戴いて構はないが、「優秀作」——字数制限を逸脱した論文もあつた——のどこが良かつたのかの選評もなく、合計何名の応募があつたのかも書かれてをらず、また「三悪人」の「トップ3」は大健三郎、河野洋平、鳩山由起夫らしかつたが、全体の詳細な集計結果も掲載されてをらず、どこか竜頭蛇尾の企画であつたやうな気がしてゐる。

尚、右の九月号には識者たちの選んだ「三悪人」が掲載されてゐるのでここに記録しておきたい。掲載順である。

武田邦彦氏「湯川秀樹・有吉佐和子・南原茂」／山口真由氏「田中角栄・竹下登・宮澤喜一」／西尾幹二氏「半藤一利・中島健蔵・加藤周一」／川村二郎氏「筑紫哲也・本多勝一・早野透」／屋山太郎氏「田中角栄・土井たか子・河野洋平」／佐瀬昌盛氏「大江健三郎・大内兵衛・坂本義和」／古田博司氏「大塚久雄・旗田巍・丸山眞男」／小浜逸郎氏「丸山眞男・柄谷行人・中沢新一」／八幡和郎氏「宮沢俊儀・小沢一郎・前川喜平」／八木秀次氏「長谷部恭男・川島武宜・我妻栄」

私自身は旗田巍、我妻栄の両氏については殆ど知識が無いが、他はいづれも尤もな人選であると思ふ。

日本の西洋哲学研究は徒花なのか
――K・レーヴィットの嘆きが聞こえる

平成三十年十二月号

その本『エスニックの次元――《日本哲学》創始のために』(勁草書房)が出版されてからもう二十年も経つたが、それを読んだ時の驚きを私は忘れることができない。著者は国際美学会議で一人の参加者から「今、日本の美学会では何が問題となっているのか」と尋ねられて答へに窮し、その経験を振り返る。「わたくしははっきりと理解した。われわれ日本の美学界において、あるいは哲学全般と言っても同じことなのだが、真の潮流をなすような問題など一つもない、ということを。なるほど〔様々な理論の流行はあつたが〕それらは『われわれの問題』であったわけではない。(略)単に西洋の哲学界において流行しているという理由によって借りてこられたものにすぎないからである」と。

なぜ驚いたのか

私が驚いた理由は二つある。これを書かれたのが佐々木健一東大教授(後に日大教授)だつたからである。氏はその後、美学会会長、国際美学連盟会長、国際哲学会連合副会長などを歴任することになる日本を代表する美学・哲学者である。もう一つ驚いたことは、日本の哲学界を根本から震撼させるに足る提言を含むこの書が、管見の限りではあるが、当の哲学界においてさして話題にならなかつたことである。

カミュの『異邦人』の所謂「不条理」を巡り著者は次のやうに言ふ。「カミュは、正統的な思想に支えられ、また正統思想を支えてきた神の存在を否定しているのに対して、わたくしは単に神の観念ぬきに生活しているに過ぎないのである。(略)つまり、わたくしはカミュの哲学の外にいたのである」と。佐々木先生の知的誠実が良く表れた言葉である(実は私は大学院のゼミで二年、その後も一年間、一対一で薫陶を受けた者であるから、このやうに呼ばせて戴く)。

そしてこの自己への誠実は転じて同業他者への鋭い批判ともなる。「少しの違和感も覚えることなしに、西洋諸国の新しい哲学説を追いつづけている多くの同僚諸氏の態度には、驚嘆と懐疑の念を覚えずにはいられない」「流行の国際的な哲学に追従することによって、祖述家たちに一定の名声を与えつつ、それとひきかえに、われわれは創造的な学問の道を見失い、自らの問題と歴史を放棄しているのである」と。厳しいけれども本質的な批判であり、関係者は襟を正さねばならないはずだ。

だが、右のやうな「エスニック」の欠如は我が国の近代化とも関係する宿命なのかも知れぬとも思ふ。周知の如く、我が国最初の洋学機関は幕府が安政三（一八五六）年に設置した「蕃書調所」（前年設立の「洋学所」を改称）である。洋書の調査、翻訳、語学教育などが行はれ、これが後に大学南校、東京開成学校となり、明治十（一八七七）年に東京大学となる訳で、この経緯が歪な伝統を形成してしまつたのではなからうか。

そして、明治十年から数へても既に百数十年。しかし、岡本裕一朗玉川大学教授は、今もなほ「〔日本における〕哲学の研究とは、歴史上の偉大な人物（哲学者）の考えを紹介したり、解釈したりすること」であり、「問題なのは、そうした哲学説の研究者が、ただ学説にとどまって、その先に向かわないこと」だと言ふ（『いま、世界の哲学者が考えていること』ダイヤモンド社）。だから、例へば、「デカルトの神」だの「ニーチェにおける神の死」だのを論ずる一方、自分にとつての、或いは日本人にとつての神の問題なんぞまるで考へないといふことが起きる。

K・レーヴィットの痛烈なる批判

思ひ出してみれば、このやうな日本の哲学界の通弊については、戦前の東北大学で教鞭を取つてゐたカール・レーヴィットが当時既に書き残してゐる。昭和十五（一九四〇）年、日本で発表するために執筆された『ヨーロッパのニヒリズム』に付した「日本の読者に与える跋」は有名である。「学生は懸命にヨーロッパの書物を研究し、じじつまた、その知性の力で理解している。しかし、かれらはその研究から自分たち自身の日本的な自我を肥やすべき何らの結果をも引き出さない。かれらはヨーロッパ的な概念――たとえば『意志』とか『自由』とか『精神』とか――を、自分たち自身の生活・思惟・言語にあってそれらと対応し、ないしはそれらと食い違うものと、区別もしないし比較もしない。即時的に他なるものを対自的に学ぶことをしないのである」（柴田治三郎訳、筑摩書房）。このあとに続けて、有名な比喩が出て来る。つまり、日本人は二階ではヨーロッパの哲学を勉強するが、一階に下りて来ると日本人的に行動するのが常で、そのことに何の違和感も抱かない、だからヨーロッパ人としては、一階と二階を行き来する「梯子はどこにあるのかと疑問に思う」という訳である。西洋哲学を学ぶ日本人を、当の西洋人の側からこれほど厳しく批判した文章を私は他に知らない。

レーヴィットと言へば、その『共同存在の現象学』が十年ほど前に岩波文庫で出た。翻訳したのは熊野純彦東大教授であり、巻末の解説で右の一説を引用してかう書いてゐる。「あやまっていただろうか。レーヴィットの見方もまた、たんなるオリエンタリズムの反復、あるいは一変種にすぎないと言いきってよいものだろうか」と。もちろん最後は所謂「修辞疑問文」であるが、それでお終ひ。ここでもまた「その先に向かわない」のである。東大教授として、日本人としてこれだけでは物足りない、ここでは絶対に何かを言ふべきであると思ふのは私だけではあるまい（尤も、熊野氏は最近『本居宣長』といふ大著を物したので、そこでは国学との思想的格闘を行つてゐると期待したい）。

嗚呼、日本の哲学者たち

『正論』六月号に、「大学政治偏向ランキング」といふ興味深い記事が載つてゐる。そこでは先年の「安全保障関連法案に反対する学者の会」に賛同署名した大学教員の所属先や専門分野が明らかにされてゐる（調査・執筆は掛谷英紀筑波大学准教授）。一万四千名以上が署名した中で、大学別では東大が一番多い。が、これは教員の数が多いからである。率としては六・二％で五十一番目である（一番は二十九・六二％の立教大）。それよりも私などが衝撃を受けたことは、哲学専門家が二百二十九名も署名してゐることであり、これは二十分野のうち六番目である。何と、法学、政治学、憲法学よりも多いのだ（一位は教育学）。

仮にも哲学者であるならば、連帯の快を貪る前に、パスカルの名言「力無き正義は無力である」ぐらゐは反芻してみるべきであらうし、さらにその前に、法案——あれを「戦争法案」と呼ぶのは「褒め殺し」である——を吟味もしなければ理解もせずに反対することの愚に想到するべきである。それとも依頼人との「付き合ひ」で署名したとでも言ふのだらうか。だとしたら、「論理的帰結の回避、人との交際における妥協」は日本ではまだ生きてゐるのだ、折角教へてやつたのにと、泉下のレーヴィットは嘆いてゐるに違ひない。

〔追記〕

右の「安全保障関連法案に反対する学者の会」の呼び掛け人の一人、小林節慶応大学名誉教授は趣意書の中にかう書いてゐた。「この法案は憲法に違反して、自衛隊を米軍の二軍にするものです。これを許せばわが国は立憲国家でなくなり、専制が始まり、世界中に敵が出来、却って安全ではなくなり、戦費で経済的に疲弊し、要するに希代の愚策です」と。説明は不要であらう。ただただ嗤ふしかない妄想の羅列である。

尚、小林氏は憲法九条についても妄言を吐いてゐる。「九条は実に不可解な条文である。私は憲法九条の破綻は明らかであると思う」とかつては書いたが（「二十一世紀への責任として」中西輝政編『憲法改正』中央公論新社）、その十六年後には、「どのような内容の九条改正を目指すか。

私の場合、九条の精神を、より明確に打ち出したいと思っています」（『「憲法改正」の真実』樋口陽一氏との対談、集英社新書）と発言してゐるのだ。いくら時を経たとしても、「不可解」であり「破綻」が「明らか」な条文の「精神を、より明確に打ち出したい」と言ふのは控へ目に言つても漫言放語である。「小林氏は孫娘が生まれて考へが変はつた」といふ話を二度ほど見聞きしたが、まさかと思ひたい。

また、右の安全保障関連法案の議論が沸騰してゐた頃、当時民主党の幹事長だつた細野豪志氏は、これを「戦争法案だ」とはつきり否定してゐた（七十四頁参照）。その氏は希望の党を経て一旦無所属となり、その後は自民党二階派に擦り寄り、自民党の衆議院会派「自民党・無所属の会」に入つた。小林氏と同様、定見の無い全く無責任極まる輩である。氏のオフィシャルサイトを覗いても、この間の経緯についての言及はない。唾棄するべき人間だ。

平成三十一年三月頃執筆

フランス文学はなぜ日本で廃れたのか
――内田樹氏の見当違ひ

さる友人から「お前の嫌ひな内田樹がフランス文学会を批判してゐる」と教へられた。

「姜尚中氏と会えばきっと話が合うだろう」と書くやうな人物には本来あまり関心が無いのだが、かつては私も会員であつた「フランス文学会」云々に興味を惹かれて読んでみた。『常識的で何か問題でも？　反文学的時代のマインドセット』（朝日新書）である。問題の箇所は「あとがき」にあつた。それは自身が政治的な予測を外し続けた理由について自ら分析するといふ格好になつてゐるが、「格付けシステム」なる言葉を使つて自分を高処（たかみ）に置き他者を見下した、例によつていい気な文章だが、フランス文学やフランス文学会の衰退理由についても見当違ひをしてゐる。氏の指摘よりももつと重層的な理由があると私は考へる。

内田氏の勘違ひ

内田氏は、フランス文学会やそこでの研究発表が「内輪のパーティ」のやうになつてしまひ、その結果「大学の仏文科に進学してくる学生がいなくなってしまった」と嘆いてゐる。そしてその理由を「研究者たちが誰も高校生や中学生に向かって『フランス文学は面白いよ。ここにおいでよ。一緒に研究しようよ』というようなフレンドリーな呼びかけをしなかった」ことに求めてゐる。

確かに、若い専門家同士が大家の評価ばかりを気にして競争してゐたら、研究は微に入り細を穿つ傾向となり、素人は置いてけぼりを喰はざるを得ないといふ事情はあると思ふ。しかし、昨今、大学での仏語仏文系の就職口は激減してゐるので、さういふ研究も「内輪のパーティ」で存在感を示すための方便として仕方のない面もあらうし、抑々「競争」自体は昔からあつた。それに、「十九世紀分科会」が他の世紀に比して盛況なのは、何も氏の言ふ「格付けシステム」の所為ではなく、十九世紀は大作家・大詩人を輩出し、その分研究者も多いので自然の趨勢と言へるものだ。

それにしても、「フレンドリーな呼びかけ」など昔からなかつた。あつたとすれば、筆者の学生時代則ち四十年程前なら、仏文系の文学者や大学教授などが文芸誌などに評論やエッセイや翻訳を屢々発表してゐて——代表を挙げれば、文学に小林秀雄、河盛好蔵、桑原武夫、中村光夫、多田道太郎、杉本秀太郎など、哲学には森有正がゐて、音楽評論にも東大仏文卒の吉田秀和がゐた——文学部の学生がさういふものを読んで仏文学に近付いて行つたといふやうな例である。その種の物書きはざつと思ひ出しても仏文系だけでも二十人近くはゐたと思ふ。だが、最近は、専門とその周縁をそれなりの文章で以て一般読者に伝へる「文士」が、これまた激減したやうに見受けられるのである。

文学青年が生まれにくい環境

次に言へることは、書店の棚からフランス文学の文庫本が殆ど消えたことであらう。当時の出版目録を見ても、流行のカミュやサルトルは言ふに及ばず、ゾラ、スタンダール、バルザック、フローベール、モーパッサン、モーリヤック、ジッド、マルロー等々の名前が並んでゐた。私の手許にはジッドの文庫本が十三冊、カミュが九冊、バルザックが七冊あるが、今ではほんの二三冊づつしか出てゐないのではないか（その意味で光文社の「古典新訳文庫」は貴重な企画である）。ともあれ、この知的環境の差はいくら強調してもし過ぎではないだらう。「東大では、昔から、文学青年は仏文科へ行くものと相場が決まっていた」といふ証言があるが（小谷野敦『文学研究という不幸』ベスト新書）、このやうな状況ではそもそも文学青年は生まれにくい。

さらに、フランス音楽（シャンソンやイージーリスニングなどの軽音楽）もフランス映画も、若者たちの目と耳に入りにくくなつてしまつたといふ事情がある。実際、エディット・ピアフもポール・モーリアもアラン・ドロンも殆ど誰も知らない。有名俳優たちもハリウッドから声が掛かれば英語の台詞を喋るやうになつて久しい。純粋なフランス映画で日本で大ヒットしたものなどここ何年も無いに等しく、日本での封切り数も激減した。

石堂淑朗の自己批判

ところで、石堂淑朗(いしどうとしろう)に「戦後映画も幻影だった」といふ文章がある(『損を承知で正論申す』PHP)。そこには戦後に脚光を浴びた「日本ヌーヴェルヴァーグ」の脚本家として自らの過去を「懺悔」してゐるかのやうな述懐が書かれてゐて、頗る興味深い。

戦前から戦後にかけて封切られ、自身が夢中になつた諸作品をテレビやビデオで見直した石堂は、ミケランジェロ・アントニオーニも「思わせぶりの脚本演出」と、フェデリコ・フェリーニも「色褪せて見える」と酷評し、これらイタリア人監督ばかりでなく、ジャック・フェデー、ジュリアン・デュヴィヴィエ、ルネ・クレール、ジャン・ルノワールといつたフランスの「四大監督」の有名作品にも「がっかりした」と書いてゐる。「外人部隊」は「支離滅裂」、「巴里の屋根の下」は「並の歌謡映画」、「舞踏会の手帖」は「安手な感傷映画」といつた具合である。そして、この評価の逆転の理由について「若い頃の私は実は日本人ではなかった」「西洋人気取りでシナリオを書き、映画を見ていた」「他人が感動しているから、自分も感動してみる。弱みを見せないための感動ごっこ。何のことはない〈裸の王様〉なのだった」云々と、容赦ない自己批判を書き連ねてゐる。

私自身、学生時代に名画座などでこれらを端から観たが、大体右のやうな感想を持ち、周りの先生方が傑作と評してゐた「天井桟敷の人々」も陰鬱なメロドラマにしか感じられなかつた。だから、石堂の書いたことは、戦後のある時期に空気の如く存在したインテリたちの知的な「エートス」といふものと関係があつたのではないかと思ふ。「敗戦の悲運を新憲法の下に忘れたフリをし、頭の中を西洋崇拝で一杯にしていた」といふ言葉も石堂は書いてゐる。英米は戦争相手であるが、フランスとは本格的に干戈を交へたといふ訳ではなかつたし（仏印進駐で多少のことはあつたにせよ）、また、英米とは異なるフランスの「手弱女（たおやめ）」的なものに惹かれた青年も多かつたであらう。作家の小中陽太郎氏（東大仏文科卒）も「天井桟敷の人々」について質問されて、「わが青春のフランスかぶれを象徴する作品です。終戦後のモノのない時代に見て、芸術に生き、恋に生きる登場人物たちに純粋にあこがれました」と書いてゐる（『洋画ベスト150』文春文庫）。

　勿論、仏文研究を志した者が皆が皆フランスにかぶれてゐたと言ひたいのではない。仏文学の真摯なる研究から意義深い鉱脈を掘り当てた優れた先達も少なからずゐる。ただ、「流行」と形容できるほど多くの同胞がフランス贔屓となつてゐた時代が確かにあり、それは仏文学・仏文化の愛好家を作り上げた、しかし、流行だけに「満つれば虧（か）く」といふ運命だつたのではないかと言ひたいだけである。フランスの文化発信力が衰退したと言へなくもないが、日本人がフランス的なるものを必要としなくなつてしまつたのだ。フランスが特権的な地位を占めるのは今では料理とファッションぐらゐではなからうか。

嘆く必要なし

最後に付け加へるならば、特にここ十数年で我が国の文化・文明状況が大きく変容したことも関係してゐると思はれる。ＳＮＳ全盛時代となり、カタカナ英語の増殖は留まるところを知らず、グローバル化といふアメリカ化や文科省の政策も英語偏重へと推移して来たこともフランス語離れに拍車を掛けたであらう(ドイツ語と言つても同じことだが)。今後、仏文科の学生が増える可能性はないだらうし、そもそも文学といふ毒気に満ちた花園に分け入るには、言葉の習得も含めてそれ相応の才能、それと金と暇が必要であるから、大衆化すれば良いといふものでもない。だから嘆く必要もなからう。むしろ、「文学部は一流大学にだけあればいい」(小谷野、前掲書)と私も思ふのである。

［追記］

「閑問題なので掲載はいつでも結構です」として『時事評論石川』に送稿したものの、遂に陽の目を見なかつた文章であるが、そのままここに掲載した。

ところで、私が屢々内田樹氏の文章を引用するのは、氏の扱ふ主題が私の関心事と重なることが多いからといふこともあるが、読んでみると何より氏の言説に大袈裟な表現と根拠無しの断定が多く見られ、批判したくなるからである。右に挙げた氏の本から例を引く。「『文系不要論』の本音」では、「今の教育行政が目指しているのは『能力は高いが低賃金で長時間労働できる労働者』と『定型的な消費欲望に駆動され、広告に煽られて商品を買う消費者』の大量生産だけである」と書いてゐる。二重鍵括弧内の大袈裟な文言に続けて、「大量生産だけである」とさらに誇張してゐる。このやうな誇張表現の例はまさに枚挙に遑がない。

また、根拠無しの断定の例は、「新しいものは思いがけないところから」にある。ここでは、例のSEALDsを称揚しつつ、選挙権年齢の引き下げに触れ、「この法案のおかげで来夏の参院選には240万人の新有権者が登場することになった。（略）新有権者集団の投票率は予想していたよりはるかに高くなるだろう。そして、相当数が支持する政党の候補者に投票するためではなく、『戦争法案』に賛成した議員たちを『落とす』ために投票所に向かうだろう。私はそう確信している」と自信満々書いてゐる。勿論、結果は氏の「確信」は大外れとなり、十八歳、十九歳の投票率こそ四十六・七八％で二十歳代のそれを上回つたが、棄権率は三十八％（九十一万人あまり）に達し、しかも自民党候補者への投票率は三十一％で民進党候補者を大きく上回り、全体的には自民党の圧勝であつた（「参院選の有権者の意識」ＮＨＫ放送文化研究所 April 2017 より）。さすがは自ら「政治的な予測を外し続けた」と書く御仁である。

そして、最も私の神経に障るのは氏の厚顔無恥な執筆態度である。この書の「あとがき」で

「どうして、政治について書くと、僕の書くものがつまらなくなるのか」と自問して、すぐに「一番深刻な理由は僕が現実をうまく分析できていなかったということ」と殊勝にも書いておきながら、自分の安倍政権の寿命予測が三年あまりに亙り外れ続けた理由は「日本人の格付け志向を過小評価したから」と、要するに責められるべきは日本国民であり、「僕のように〔格付け志向を批判的に〕考える人は今の日本では圧倒的に少数です」と自分を高処に置くことだけは忘れない。そして先の「格付け志向の過小評価」といふ「仮説が適切であったかどうか、それは時間が経てば明らかになるでしょう。それが外れたら、また次の仮説を考えてみます」と書き、政治分析・予想が外れても読者に対して一言の詫びもないのだ。厚顔無恥と言ふ所以だ。

［追記］の［追記］

日本におけるフランス文学研究の衰退は右の通りであるが、フランス文学そのものの価値が無くなつた訳では勿論ない。英語のグローバル化に連れて苦戦してゐる面はあるにせよ、綺羅星の如く優れた作家を輩出したフランス文学の「威光」といふものは、まだまだ消え切つてはゐないと思ふ。しかし一方で、国際的なフランス文学会では、作品の英訳を用ゐて英語で発表するなどといふ、日本人研究者にはおよそ考へられない例も出始めてゐるさうであるし、日本で開催された国際ドイツ文学会では、日本人会長の歓迎スピーチは英語でやらされたさうであるから、英語以外の文学はこれから益々苦境に立たされてゆくのはたぶん間違ひないであらう（同じ頃、日本で開かれたフランス文学会では、さすがにフランス語でスピーチが行はれたと聞いてゐるが、今後はどうなるか知れたものではない）。

逆に、日本におけるフランス文学隆昌の跡を少しく書き残しておきたい。昭和六十（一九八五）年に平凡社から『フランス文学と私』といふ本が出てゐる。今は入手困難な稀覯本である。これは、その四年前に「大阪日仏協会」が発足し、その活動の一環として「フランス文学と私」といふ連続講演会が開かれ、その講演内容を記録したものである。講演者は、生島遼一、市原豊太、桑原武夫、佐藤朔（さく）、佐藤輝夫、新庄嘉章（よしあきら）、新村（しんむら）猛、杉捷夫（としお）、関根秀雄、田辺貞之助の十氏である。いづれも戦前から戦後にかけて「仏蘭西文学界」を主導した学者たちで（無論、他にもゐたが）、私が二十歳の頃には七十歳前後でまさに重鎮だつた。彼らの研究、翻訳、エッセイ、文法の参考書や辞書などに触れたことの無いフランス文学・哲学研究者は私の世代にはほとんどゐないはずだ。フランス文学の翻訳本に今なほ何人かの名前を見ることができるのではないか。

右の本の中で、佐藤朔（戦前、ボードレールの『悪の華』を全訳。のち慶応大学塾長）は、フランス文学科の学生の増加について具体的な数字を挙げてかう言つてゐる（「昨日は秋、今日は冬」）。

「学生は新制大学になると、どうしたわけか急にふえ（略）、フランス文学科だけで合計百名

〔各学年平均二十五名〕になり、それも女子学生が次第に多くなって行った。昭和四十五年になると（略）合計三百名になっていた。文学部全体の学生数が戦前よりふえたせいもあるが、フランス文学科だけは異常とおもえるほどのふえ方であった。旧制のときはいつも合併授業だったのに、新制になると分割授業をせざるを得なくなった」と（傍点は引用者）。戦後のフランス文学人気を端的に示す数字である。これは慶応だけのことではあるまい。戦後、いくつもの大学で仏語・仏文学科が設けられたことは周知のことである。閑古鳥の鳴く現在の状況に鑑みると、高々半世紀前の話なのに、まさに「去年の雪　今何処」（F・ヴィヨン）といふ感慨が湧くのを抑へられない。

また一方で、仏語・仏文系の大学で学んだ有名作家が多いのが我が国の文壇の特徴の一つである。さういふ作家の中で私が多少とも読んだ作家としては、太宰治、石川淳、大岡昇平、中村真一郎、辻邦夫、遠藤周作、福永武彦、倉橋由美子、清岡卓行、阿部昭、三浦哲郎、堀田善衞などがゐる（不承不承、大江健三郎と井上ひさしも加へる）。

そして興味深いことに、フランス文学を非常に好んだ作家に、東大法学部出身の三島由紀夫がゐる。三島はフランス文学についてのエッセイを数多く執筆してゐて、それらを集めて『三島由紀夫のフランス文学講座』（ちくま文庫）を編集したフランス文学者の鹿島茂氏はその「あとがき」の中で次のやうに最大級の賛辞を送ってゐる。

「頭の中でもやもやしたままになっていた感動が、三島由紀夫の決定的な言葉で見事に定義されるのを読むのは、またとない快楽だった。百巻の研究書をもってしても明らかにすることのできなかった真実が三島由紀夫の数行に言い尽くされているのを見るとき、『う〜ん、これじゃあ、わざわざフランス文学を研究する必要なんかないじゃないか』とつぶやかざるをえなかった」と。

確かに、例へばカミュの『異邦人』を論じた文章を読むと、かうある。「ムルソーは無気力な平凡な貧しい勤め人である。かれの日曜日のやりきれなさを見るがいい。法廷は養老院における彼の母の死と、彼の殺人との間に至極当然な因果関係を設定することはできる。しかしこういう日曜日はどんなに説明しようとも援用されず斟量されない。正にそこにおいてムルソーが生きた場所、決して彼の無辜を証明せず救済をも暗示しないこの場所が、(冒頭の養老院の長い描写は暗示的である)、ムルソーをして『異邦人』たらしめるのである」(三島の原文はおそらく正仮名正漢字だつたと思はれる)。

実に見事な解説であると思ふ。かういふことをほんの数行でさり気無く指摘されたら、凡百の研究者は敵ふまい。フランス文学研究の衰退は三島の所為なのだらうか。

常識は強し——企画展中止に思ふ

令和元年九月号

先般の「あいちトリエンナーレ」における企画展「表現の不自由展・その後」の中止決定は様々な議論を呼び、例によつて『朝日新聞』が色々と騒いでゐる。私は一部をネット動画で瞥見したに過ぎないが、あのやうな展示物は「芸術とは何か」といつた議論の対象になるやうな代物ではない。単なる政治的プロパガンダであつて、常識的に見て中止は当然だ。

名うての左翼、反日人士たち

第一、芸術作品は議論に先行して存在するもので、議論を引き起こすための「作品」なんぞ芸術ではあり得ない。芸術とは「祈り」の具象化もしくは抽象化であると私は考へるが、ジンメルに従へば、「世界と人生とに対する私たちの感謝」である（『愛の断章・日々の断想』清水幾太郎訳、岩波文庫）。憎悪や政治的な奸計（かんけい）だけが目立つやうな作品には「祈り」も「感謝」も皆無であつて、従つて芸術的なカタルシスが無い。

問題が報道され始めた頃、私は津田大介氏が芸術監督であり東浩紀氏がアドバイザーであつたことに驚いたのだが、しかし、実行委員会の面々が誰であるかを知るに至り、私は右の二人に驚いた自分の甘さを反省することになつた。実行委員は五人で、アライ＝ヒロユキ、岩崎貞明、岡本有佳、小倉利丸、永田浩三の各氏である。『週刊金曜日』の編者・寄稿者や「反天皇制運動連絡会」会員やテレビ朝日やＮＨＫの元プロデューサーたちであり、正に揃ひも揃つて「札付きの」と言つて悪ければ「名うての」左翼・反日人士たちなのだ。特に永田氏（現在は武蔵大学教授）は平成十二年に開催された「女性国際戦犯法廷」なるデタラメな政治ショーをＥＴＶ（教育テレビ）の特集で放送するに際して深く関与した人物である。といふことは「法廷」の開催を企画した故松井やより元朝日新聞記者と同様、病理学の対象となり得る人物といふことになる。そんな彼らが集まれば、何をやらかすかは察しがつくだらうに。実行委員会の会長でもあり、このやうな人選と公金支出を認めた大村秀章知事の責任は重く、辞職相当だと私は考へる。認可した文化庁にも責任があらう。

生涯学習の反日講師たち

それにしても、かういふ時にいつも思ふのは、今なほ国や地方自治体、あるいはＮＨＫといつたところが重用する「知識人」がたいてい左翼リベラル系の人士で、それはなぜかといふことだ。さる地方都市では生涯学習の講師に、あらうことか悪辣な反日言説で有名な辛玉淑(シンスゴ)氏を呼び、講演の最後には天皇批判を始めたので市長以下関係者が青ざめたといふ話を聞いてゐる。辛氏はかつて「日本人が拉致問題に飛び付いたのは、加害者として糾弾されることに疲れたからで、初めて被害者になれると思つたのが拉致事件だつた」と語つた。拉致被害者を奪還する運動に多少とも関係してゐる私のやうな者には洵に赦し難い不倶戴天の人物だ。

また、いつぞや私が里帰りした際に、やはり生涯学習の講演会のポスターに森永卓郎氏の写真を見出した。この御仁は日本の安全保障を論じて、ODAをばら撒いて「日本はやさしい国、いい国だと認められれば(略)、どこかの国が侵略してきた場合、他国は一緒に立ち上がってくれると思う」と書いた痴れ者である(『憲法を変えて戦争へ行こうという世の中にしないための18人の発言』「岩波ブックレット」六五七号)。

このやうに反日の或いは無見識の人士たちが生涯学習の講師として任用され、全国あちらこちらで善男善女を誑(たぶら)かし、公金から報酬を得てゐると思ふと心底義憤を感ずる。

NHKも同様だ。十年前には「日曜美術館」のキャスターに、美術に造詣が深いとも思はれぬ姜尚中(カンサンジュ)氏を起用した。どのやうな経緯かこれまた知らぬが、氏は現在、熊本県立劇場の館長に収まつてゐる。「ラジオ深夜便」でも、インタビューの時間に登場するのは殆ど左翼リベラル人士である。いつであつたか、平成十六年にイラクで男性二人と共に人質となつたボランティア活動家の高遠菜穂子氏を招き、言ひたい放題のことを言はせてゐて呆れたことがある。彼女は、自己責任といつたことが全く分からず、自分たちの短慮が国策としての自衛隊派遣に影響を与へ、テロリストに支払はれたであらう身代金が次のテロの資金となるといふ簡単な原理を理解してゐなかつた。

支離滅裂は病理学の対象

右のやうな左翼人士の支離滅裂を本紙読者に力説する必要は無いが、私が彼らを病理学の対象とまで言ふのはかういふことだ。例へば、ある若者が子供の時から、「お前の曾爺さんは、その昔この村で強盗を働き、その際、十人もの人を殺し、結局捕まつて牢屋で死んだのだ」と聞かされて育つたとする。この若者は常に傷ついた心で育つたことであらう。曾祖父の血が彼の中にも流れてゐるのだから。学校で虐めを受けた可能性もある。しかし、ある時、見知らぬ老人から、「皆の言ふことは嘘だ。儂(わし)は知つている。お前の曽爺さんは立派な人だつた。ただ、ある陰謀により陥れられてしまつたのだ」と言はれたとしよう。この時、「そんなことはない、曽爺さんは皆の言ふ通り、殺人鬼だつたはずだ」と思ふか、それとも、驚きながらも光明が見えたやうな気がして「さうであつて欲しい」と思ふかは大きな違ひであり、前者であるとしたなら、噂により洗脳され切つてゐて、自分の頭で感じ、考へることがもはやできなくなつてゐると言へるし、真当な人間なら、後者のやうな気持ちになつて、「もつと詳しく教へて下さい」と頼むであらう。或いは、自分でさらに調べて、曾祖父の汚名を雪ぎたいと願ふであらう。

彼ら左翼人士は前者のやうな人間なのだ。誤報や虚報に洗脳され切つてゐるから、もはや虚構だつたことが明白な「南京大虐殺」だの「従軍慰安婦強制連行」だのといつた与太話を未だに信じ、憲法九条を変へると日本は何をするか分からないとの妄想を抱き、もはや聴く耳を持たない。

そんなふうだから、彼らの思ひ違ひを指摘して「朗報」を教へてやつても、一緒に喜ぶどころか、「逆切れ」してこちらを「歴史修正主義者」だと批判し、それでゐて中韓の「歴史修正主義」については沈黙を守るのである。病理学の対象であると言ふ所以である。

学問でも何でも、人は古い知識が間違ひと分かればそれを捨てて新しい知識を受け入れることを恐れてはならないはずだ。彼らは何かに怯えてゐるのだらうか。ドストエフスキーは「恐怖感というものは、残酷な感情であって、あらゆる感動や高尚な感情に対して心をひからびさせ、石のように無感覚にさせる」と書いてゐるけれども（『作家の日記（Ｉ）』『全集』第⑰巻、川端香男里訳、新潮社）、さういふことなのだらうか。私には全く理解できない。

中止は常識の勝利

先程の問ひに戻る。国や自治体やＮＨＫはなぜ左翼人士を重用するのかといふ問題だ。ＮＨＫには抑々左翼分子が相当数入り込んでゐると言はれてゐるし、しかも左翼リベラル系人士は平和主義的な言説を専らとし、テレビにもよく出てゐて知名度が高いので役所からすれば選びやすいといふ事情もあるだらう。市民に対して「戦争反対」に同調を促すのは容易だが、「平和主義だけでは解決しない問題がある」といふことを理解させるには何倍もの知識とエネルギーが必要である。その意味ではやはり官公吏への教育も必要であらうが、官公吏も今や殆どが大卒である。そして大学とマスコミこそ左翼の牙城なのだから、まるで「負のスパイラル」だ。しかし、今回、テロ予告は論外だが、多くの「声ある声」が抗議を行ひ中止に追ひ込んだ。「常識」の勝利と言へるのではないか。

［追記］

このやうな展示会を企画したりこれに出展する者たちは確かに問題であるが、かういふ時のＮＨＫの報道姿勢もまた大問題である。この展示会についてのＮＨＫのニュースにおいては、慰安婦少女像のことしか伝へず、これに一部の右翼的な国民が怒つてゐると思はせようとした。

これは隠蔽することで情報を作り変へること、即ち「捏造」である。

かやうなＮＨＫの偏向や職員の「公徳心」の欠如について、かねてより厳しい批判を繰り広げてゐる小山和伸（おやまかずのぶ）神奈川大学教授は、「ＮＨＫの組織的風土」だとして、三つの点を指摘してゐる（小山教授とＮＨＫについては二百八十九頁以下も参照されたい）。

「第一に、マーケティング努力に基づく営業利益に依存しない、受信料徴収権の上に安住する特権意識、視聴者に対する顧客意識を失った傲慢な姿勢」「第二に、大メディアとして世論形成の主導権を握っているという、不遜な思い上がり体質」「第三に、ＮＨＫが不健全な思想に汚染されていることである。日本人でありながら日本を否定し、日本の伝統と文化を転覆させようとする主義主張に心酔し、自らの生きる社会の基本構造を破壊することによって、自らの重要感を最大限に実感したいという病的嗜好に取り憑かれている気質」の三点である（『決定版　ＮＨＫ契約・受信料対策マニュアル――ＮＨＫ受信料を払わなくても良い理由』展転社）。

いづれも重要な指摘だが、第三のものが最も重要であらう。日本社会の基本構造を破壊しようとする志向は革命への志向であらうが、いざ本当に革命が起きたり、外国からの軍隊が攻め入つて来たりすれば、初期の段階で放送局は占拠される。その際、白旗を上げれば、或いはシンパシーを表明すれば、助けて貰へるとでも考へてゐるのだらうか。おそらく、そこまで突き詰めてはゐるまい。単なる大衆迎合と知的怠惰であらう。

「表現の不自由展・その後」のその後
——二枚舌の『朝日新聞』と詭弁の「芸術家」

令和元年十一月号

「あいちトリエンナーレ二〇一九」の企画展「表現の不自由展・その後」が多くの抗議に耐へ切れずに中止に追ひ込まれ、それを喜んだ私は本紙先々号において「常識の勝利」と書いたのだつたが、読者も知る如く、一旦中止となつた後に再び開催された。

片意地張つたか大村知事

大村秀章愛知県知事は東大法学部出身らしいが、憲法における「表現の自由」を理解してゐないのには驚いた。憲法でも無限の自由なんぞ認められてはゐないし、「国民は、これ〔自由と権利〕を濫用してはならないのであつて、常に公共の福祉のためにこれを利用する責任を負ふ」と第十二条にあるではないか。あのやうな展示を続けることが本当に「公共の福祉のため」になると知事は考へたのだらうか。だとしたら痴(おこ)の沙汰(さた)であらう。それとも、河村たかし名古屋市長から批判されて片意地を張つたのだらうか。

「陛下への侮辱を許すのか！」

その河村市長が展覧会場前で抗議の座り込みをしたが、ネット上の書き込みによれば、ＴＢＳとＮＨＫのニュースは（他局はどうか分からないが）河村氏の持つプラカードを映さなかつたさうである。が、そこには「日本国民に問う！　陛下への侮辱を許すのか！」と、企画展の最大の問題への批判が書かれてゐたのであつた。

確かに、マスメディアの多くは関連報道の中で専ら「慰安婦少女像」を取り上げ、昭和天皇を「侮辱」した「作品」や、特攻隊員の遺書を「idiot」（間抜け）と揶揄した「作品」については殆ど触れなかつた。そこには一種の奸計（かんけい）が透けて見える。主催者側も擁護側のマスメディアも、個々の具体的な作品の価値については沈黙したまま、つまりは作品の価値を世に訴へることはせず、一般論として或いは抽象論として「表現の自由」が脅かされたといふ議論に話を摩り替へたのである。さう考へると、『産経新聞』（八月十六日）に桑原聡氏が書いてゐたやうに、企画展の真の狙ひは「炎上→展示中止→表現の自由をめぐる議論勃発→実行委員会による抗議文の発表→安倍政権批判」といふところにあつたのではないかとの疑念も合理的と言へるかも知れない。

あからさまな二枚舌

かういふ時、『朝日新聞』は必ず反権力を気取り、綺麗事を言ふ。「天声人語」（八月四日）は中止決定を受けて「ある時は官憲による検閲や批判、ある時は抗議や脅し。表現の自由はあっけなく後退してしまう。価値観の違いを実感させ、議論を生み出す芸術作品は、私たちが今、何より大切にすべきものではないか」と大袈裟に書いたが、「官憲による検閲」など現実には無かつたし、「抗議」はあつただらうが「脅し」にしても現実的な脅威とはならなかつたはずだ。

仮に私が旭日旗に良く似た『朝日新聞』の社旗に火を付けて足で踏み躙る映像をどこかに展示した時、『朝日新聞』は「価値観の違いを実感」して「何より大切にすべきもの」として私の「作品」を厚遇してくれるのだらうか。『朝日新聞』の「森友・加計」報道を実証的に批判した小川榮太郎氏への名誉棄損訴訟といふ言論封殺などを見ても、そんなことはあり得まい。『朝日新聞』の言ふ「表現の自由」とは自分たちの表現の自由のことであり、考へを異にする側のそれは認めないのだ。「嫌韓」はヘイトだが「嫌日」「反日」は許されるといふあからさまな二枚舌である。

一方、主催者側も敢へて再開した割には小心翼々たるもので、報道関係者向けの鑑賞会が開かれた際には「誌面掲載、番組放送前に原稿を確認させていただきます」との注意書きがあつたさうだ（「産経抄」十月十八日）。「新聞以外の取材」に対してといふことだから、主に週刊誌や月刊誌、或いはテレビが対象なのだらう。しかし、「新聞以外」には失笑を禁じ得ない。語るに落ちるとはこのことで、新聞まで入れてしまふと『朝日新聞』や『毎日新聞』の応援が期待できなくなるからだらう。洵に呆れた話であるが、いづれにせよ、自由な批評や評価などを自ら否定してゐる訳で、「不自由展」とはかういふ意味だつたのかと嗤ふしかないやうな惨状ではないか。

「産経抄」でも触れられてゐたが、昭和天皇の肖像を燃やした大浦信行氏は『朝日新聞』のインタビュー記事の中で、燃えてゐるのは天皇の肖像ではなく「僕の作品」だと言ひ張つてゐる。かつて制作した自作の版画を焼いたのだと言ひたいらしいが、そこには昭和天皇が描かれてゐるのである。このやうな子供騙しの詭弁を弄する御仁だけあつて、このインタビューの全文を読むと、やはり嗤ふほかないほど稚拙である（「朝日デジタル」十月十四日）。

昇華は消火？

氏は「僕にとって燃やすことは、傷つけることではなく（内なる天皇を）昇華させること」だと言ふのだが、「昇華」の意味が全く不明である。これにはさすがに塩倉裕編集委員も「正直よく分かりません」と答へてゐる。それに対して大浦氏は「祈りだと言い直せば伝わるでしょうか。燃やすという行為には(略)宗教的な側面もあるはずです。僕は今回の映像で、三十年前から向き合ってきた『内なる天皇』をついに昇華できたと感じました。抹殺とは正反対の行為です」と驚くべきことを言つてゐる。

本来は化学用語である「昇華」も、「精神的に、より純粋で高度な状態に高められること」といふ意味で比喩的に用ゐられることがある。例へば、「性愛が永遠の愛へと昇華する」のやうに（『表現読解国語辞典』ベネッセ）。つまり、「昇華」といふ語は、どのやうなものがどのやうに高次元へと変化したのかを言はない限り使用できぬものである。氏の「内なる天皇」がどのやうなものであつて、どのやうに変化したのかを言はない限り、いくら言葉を費やしても意味不明に変はりはない。そして、灰を踏みつけたシーンについても「踏みにじったと見れば天皇批判の行為に映るでしょうが、残り火を足で消火したと見る人には昇華を完結させた行為と映るはずです」と言つてゐる。消火と昇華……。あまりに滑稽な独り善がりである。

大浦氏は、芸術は「爆弾や毒をはらむ」ことがあるとも言ふ。然り。だが、「本質的に現実社会との食い違いが避けられないのです」との言葉は、昔の芸術家気取りのヒッピーたちの甘たれた処世術を思ひ出させる。それに本来、芸術家は作品の背後に沈黙して立つべきで、くだくだしい説明をしなければならないのなら二流、三流といふことになる。さる賢哲は「芸術家気質は素人の罹る病気」だとして次のやうに書いてゐる。「この病気は、自分の存在の中にある芸術の要素を、おもてに現し、外に出すのに十分な表現力を持たないことから起こる。（略）ほんとうに偉大な芸術家は、普通の人間でありうる」のだと（『G・K・チェスタトン著作集⑤異端者の群れ』別宮貞徳訳、春秋社）。

安全な「不自由ごつこ」

ともあれ、我が国に「真の不自由」なんぞ存在しない。かつてサラマン・ラシュディ氏の『悪魔の詩』が出版された時、イランのホメイニ師は著者とすべての翻訳者に対する死刑宣告を出した。そのため平成三年七月、この書を邦訳した五十嵐一（ひとし）筑波大学助教授は大学構内で斬首され、ラシュディ氏は地下に潜るやうにしてその後の人生を生きてゆかねばならなくなつた。未だに命を狙はれてゐるはずだ。かういふことを良しとするのでは決してないが、何たる彼我の違ひであらうか。

『朝日新聞』も企画者も出展者も、自分たちの言ふ「表現の自由」論議が児戯に等しく、皇室批判や英霊批判など、何をやつても安全で自由な国での「不自由ごつこ」であることを少しは自覚して我が身を恥ぢよ。

［追記］

右の懲りない連中は場所を変へてまた同じやうなことをやつてゐるので慄然とさせられる。『Hanada』（令和二年四月号）に載つた篠原常一郎氏の「トリエンナーレに韓国チュチェ思想の影」によれば、結局中止となつたが令和二年秋に行はれるはずだつた「ひろしまトリエンナーレ２０２０in BINGO」のプレイベント「百代の過客」が瀬戸内海に浮かぶ小さな百島（ももしま）を舞台に繰り広げられたのだ（篠原氏の現地取材は令和元年十一月）。廃校になつた中学校の校舎や旧支所などの建物を使つて、大浦氏の作品を含む数々の反天皇、反皇室の作品ばかりを展示してをり、さながら「反天皇の館」（同道した政治学者岩田温氏の感想）の様相を呈してゐたらしい。また、見学者に渡される作品解説資料（コピー二枚）は退館時には回収されたといふことだ。相変はらず「不自由」が好きな「芸術家」たちである。

さらに問題なのは、これを主催した「ＮＰＯ法人アートベース百島」が多額の公金を基に運営されてゐることである。篠原氏の調べによると、文化庁から助成金（約七百三十万円）、四つの財団から寄付金(約五百万円)を得てゐるのだ。主催者の柳幸典代表は「全く公金を使わず」云々と言つたやうだが、全くのデタラメだつた訳だ。ポスターや吊りバナーには市の補助金が使はれてゐる。あまつさへ、尾道市役所や広島県も「公金が入っていない」と篠原氏に説明したらしいから驚くとともに怒りを感ずる。所詮自分の金ではないと思つてゐるのではないか。

以上を踏まへて篠原氏は「あらためて公金支出のともなう芸術イベントで公序良俗を守るスキーム（事前のレギュレーション合意、公正な事前審査など）が（略）国レベルはもちろんのこと、地方自治体などでも検討されるべきだろう」と主張してゐる。全く同感である。

尚、この「ひろしまトリエンナーレ2020in BINGO」は、広島県が展示内容を事前に選定する検討委員会を設置することになり、それに抗議して総合ディレクターの中尾浩治氏（「NPO法人アートベース百島」理事で元テルモ会長）が三月三十一日に辞任。結局、四月十日には「新型コロナ」を理由に中止となつた。

中尾氏らは例によつて「事前検閲」だとしてゐるらしい。彼らは未だに分かつてゐない、と言ふより、分からないふりをしてゐるのだらうが、問題は「表現の自由」ではない。公金を使ふ以上、どのやうな「芸術」か――公序良俗に反するか否か――が問題になるのは当然のことなのだ。

最後に、文中で触れた五十嵐一先生の御冥福を改めてお祈り申し上げたい。と言ふのも、私は当時、筑波大学外国語センターの助手をしてをり、五十嵐先生とも面識があつた。ある時、つくば学園都市内のスーパーで偶然お会ひして、短い会話を交はした。ボディガードが付いてゐない様子なので、「先生、大丈夫ですか」とお尋ねしたところ、「いやあ、有難いけれど、ずつと一緒なのも疲れるので断つた」とのことであつた。確か、その翌々日であつたと思ふ。大学に行くと、警察官や記者らしき人々が右往左往してをり、只事ならぬ雰囲気であつた。通りかかつた知り合ひの事務官に尋ねると、五十嵐先生が昨夜遅く七階のエレベーターの前で何者かに惨殺されたとのことであつた。おそらくはずつと付け狙つてゐて、ボディーガードを付けなくなつたのを好機と見て襲撃したのではないかと思はれる。優秀なイスラム学者であつたが、やはり日本人の感性が災ひして、ホメイニ師の出した「ファトワー」（イスラム法学に基づいて発せられる勧告、布告、見解、裁断のことで、この場合は死刑宣告）の恐ろしさを見損なつたのだらうか。犯人はその後も捕まつてゐない。合掌。

同じ轍を踏むのか
――習近平の国賓待遇を巡る高原東大教授と安倍首相の不見識

令和二年二月号

習近平の国賓待遇については、安倍首相支持者や与党からも強い批判が出てゐる。当然のことと思ふ。尖閣諸島周辺での接続水域への日常的侵入、対北朝鮮国連制裁決議の度重なる無視、新疆ウイグル自治区や香港などでの非道な弾圧など、傍若無人の覇権主義的政策を日本人として、否、人間として容認できる訳がない。最後の人権問題については米英独仏も非難声明を出してゐる。だから、『産経新聞』の「日本の議論」（一月十一日付）で佐藤正久参議員が、首脳会談ならともかく「国賓として迎えるには環境醸成が必要だ」と主張するのは至極尤もである。

国賓として迎へれば、天皇陛下主催の宮中晩餐会に招くことになり、陛下との乾杯の映像が世界に発信される。また、「答礼」として陛下の訪中といふ話が持ち上がるであらう。現時点でそんな蜜月のやうな関係を演出してしまふと我が国の威信は地に落ち、「やはり日中は同文同種である」と誤解され、さらには「日本は何の信念もない商人国家である」と非難されかねないであらう。天安門事件で国際社会から轟々たる非難を浴びてゐた中国を平成四年の天皇陛下（現上皇陛下）のご訪中が結果的に救つてしまひ、民主化に向かふ折角の機会が断たれたといふのが歴史的判断であらう。後に上皇陛下が「私の中国訪問は良かつたのだらうか」と、陛下に陪従した外務省アジア局長にご下問されたことも少なからぬ国民が知るところではないか。同じやうな轍は踏んではならぬのである。

まるで中国の傀儡

一方、そんな問題は歯牙にもかけず、「今回は日中の親善を深めることが目的であり、習氏が国家元首であることを踏まえれば国賓待遇以外の選択肢は考えづらい」とするのが高原明生(あきお)東大法学部教授である。国賓待遇を推進する閣僚の答弁のやうだ。

それに何より問題なのは、まるで中国の傀儡(かいらい)であるかのやうな発言が目立つことである。時吉達也記者が、「領海侵入や人権侵害を容認するという誤ったメッセージを送ることにならないか」と国賓反対論の最大の論点について尋ねると、「〔それらの〕黙認につながるというのは理屈が通らない」とまで言ふのだが、驚くべし、「理屈が通らない」理由はただの一言も発してゐないのだ。東大法学部教授の不見識と非論理を本紙で何度か指摘して来た私も改めて吃驚せざるを得ない。

ところで、このやうにあの国を擁護する人間の正体は一体何であらうか。これについては石平氏が有本香氏との対談で次のやうに言つてゐる。「そういう人たちのことを僕は『工作員』だとは言わない。でも客観的に見て、日本の中に日本語を話す人たちだけれども中国のために動く、組織されたものがあるかのようです。あたかも生き物のように、新聞でもテレビでも、実際の社会でも、おそらく官僚の世界でも、それは生きている。このもの正体が僕は分からない」と(『リベラルの中国認識が日本を滅ぼす』産経新聞社)。全く同感だが、石氏に分からないものが私に分かるはずもない。が、同対談での有本氏の次のやうな言葉に理解の鍵があるのかも知れない。氏は言ふ、中国は「日本という男が憧れをかき立てられずにはいられない『大柄な美女』。（略）その女は、ものすごく男をひどい目に遭わせたわけだから、普通ならば『どの面下げて戻って来られるのか』という話なのに、戻って来てまた男を幻惑するわけ。そして男は、悪い女と分かっていても何度も騙される」と。なるほど、案外そんなものかも知れないと思ふけれども、人間同士ならいざ知らず、国家の場合なら騙される方が圧倒的に馬鹿といふことであらう。

「愚か者と同じ」

親中派の正体の詮索はひと先づ置くとして、件の高原氏は「日本国内で中国のイメージが悪いのは、日本の責任だ」との最近の習近平氏の言葉を引いて、「日本への理解が乏しいと言わざるを得ない」、だから「地方都市への訪問などを通じ、日本人と直接触れ合う機会を数多く作って欲しい」と政府に注文を付けてゐる。洵に驚くべき楽天家である。ただし、G・フローベールは「楽天家」を定義して「愚か者と同じ」としてゐて（『紋切型辞典』小倉孝誠訳、岩波文庫）、さすがはフランス文学を代表する作家であると讃意を表しておく。

高原氏にとつては「日中親善」が殊の外大事らしいが、そのやうな美辞麗句の下で、我が国が散々煮え湯を飲まされて来たことは氏にはどうでも良いことらしい。昭和三十三年の生まれとあるから、昭和四十七年の日中国交回復以降の歴史は同時代史として目撃して来たはずである。しかも「日中関係史」の専門家ではないか。東大法学部なんぞ出ると「日本人」であることを忘れるのかも知れない。「科学には国境はないが学者には国籍がある」とはパストゥールの名言だが、右の議論は科学ではない。「思想」である。しかし、科学でもさうなのだから、思想であれば「国籍」は一層重要だ。無国籍の思想なんぞ思想ではない。

高原氏も言ふやうに、「日本側が強い問題意識を持っているとしっかりと伝える」ことは勿論必要だ。しかし、それは首脳会談でやれば良いのだ。折角、影響力の大きい東大教授になつたのだから、もう少しまともなことを政府に進言したらどうかと思ふが、最後の方で、「(国賓待遇への) 反発の大きさは高い関心の裏返しであり、必ずしも悪いことではない」とも言つてゐる。残念ながら付ける薬は無いらしい。

振り返れば、中国へのODAも昭和五十四年から昨年まで約三兆六千五百億円(外務省HPによる)も拠出して来たにも拘はらず、謝意の表明も国民への周知も殆どなかつた。それもそのはず、日本からの無償援助を中国では「中日両国の合作(協力)」と呼んでゐるとのことだ(古森義久『日中友好のまぼろし』小学館)。それに「インフラ整備」——専らこれのために援助してゐるのは我が国だけ——と言へば聞こえは良いが、簡単に軍事転用され得ることは素人にも分かるし、現にさうなつてゐる(同書)。また、国を挙げて知的著作権侵害を行つてゐるし、平成二十一年、習近平氏が副主席時代、小沢一郎氏のごり押しで実現した天皇陛下との謁見の際に見せた傲岸不遜な態度はまだ記憶に新しい。さらにファーウェイや孔子学院の問題など挙げれば切りがない。どう考へても「国賓」待遇で迎へるやうな相手ではない。

「さらば安倍晋三　もはやこれまで」

かう考へると、やはり国賓待遇で習近平氏を招聘しようとする安倍首相の判断は間違ひだ。だが、首相の決意は固く、「アジアの平和と安定、そして繁栄に責任を持つ国としての意思をこの機会に是非示して頂きたいとの考え」だと強調してゐる（『Hanada』二月号）。こんなことを本気で考へてゐるのだらうか。性善説もいい加減にして欲しいものだ。提示したところで遵守するかどうかは別問題だ。親中派の議員や経済界の強い要請に屈してゐるのだらうか。だとしたら、中西輝政氏ならずとも、「さらば安倍晋三、もはやこれまで」と言ひたくなるではないか。

周知の如く、日本国憲法の所謂「前文」（このやうに書くのは、原本に「前文」の表記はないからである）には「専制（＝暴政）と隷従、圧迫（＝弾圧）と狭量」を地上から追放して「国際社会において、名誉ある地位を占めたいと思ふ」とある（括弧内は、より適当と思はれる筆者なりの訳語)。最近の新疆ウイグル自治区や香港や台湾における暴政と弾圧を首相は知つてゐるのだから、「名誉ある地位を占める」ためにはどうしたら良いかを具体的に考へるべきだ。それができないのなら、中途半端な「改憲」は益々詮無いことにならう。

［追記］

文中、中西輝政京都大学名誉教授の言葉は『歴史通』(ワック出版、平成二十八年五月号)に載つた論文の題名であるが、内容は安倍首相の歴史認識、特に前年に発表された「戦後七十年の安倍晋三首相談話」(と同年十二月の「日韓慰安婦合意」)への厳しい批判である。

私もまた安倍首相の歴史観には疑問を持つてゐて、「保守の星」とも言はれた政治家らしからぬ歴史観は毎年の「戦没者追悼式」の式辞にも滲出(しんしゅつ)してをり、それへの批判を書いたことがある(「安倍首相の式辞を批判する」本書二百二十六頁参照)。

しかし、追悼式の式辞とは比べ物にならないくらゐ、この「七十年談話」は深い闇を蔵してゐる。無論、一国の首相が示す談話であるから、様々なことを慎重に勘案せざるを得ないといふ事情は最大限理解してゐるつもりであるが、それでもやはり私は以下のやうに考へる。

この「談話」の中で保守論客たちに最も称賛されたのは、「私たちの子や孫、そしてその先の世代の子どもたちに、謝罪を続ける宿命を背負わせてはなりません」といふ箇所であらう。保守系評論家の重鎮だつた故・渡部昇一氏も、これは村山談話を「上書きした」ものであり、「信義則を守りつつも、未来永劫続くかもしれない謝罪の連鎖も断ち切るべく楔を打ち込んだ。（略）東京裁判史観を否定したことを意味しているのです」と激賞した（「東京裁判史観を突破した『縦の民主主義』の歴史力」『正論』平成二十七年十月号）。

渡部氏のこの「縦の民主主義」とはチェスタトンの言ふやうな「死んだ人々や子孫がどのように考えるかを考慮に入れる民主主義」のことであり（本書二百二十八頁参照）、確かに、安倍談話は右のやうに後の世代の免責を語つたが、「死んだ人々」についてはどうであつたか。

安倍氏はこの免責に触れた直後にかう言つてゐるのだ。「しかし、それでもなお、私たち日本人は、世代を超えて、過去の歴史に真正面から向き合わなければなりません。謙虚な気持ちで、過去を受け継ぎ、未来へと引き渡す責任があります」と。この逆接の接続詞「しかし、それでもなお」に続く言葉が前段をすべて否定してゐないだらうか。「それでもなほ、我々は歴史に誠実に相対し、それへの悔悟、反省、謝罪の気持ちを次世代に伝へて行く」としか私には解釈できない。これで本当に「謝罪の連鎖も断ち切る」ことができるのだらうか。それかあらぬか、「「経済のブロック化の中で」日本は、孤立感を深め、外交的、経済的な行き詰まりを、力の行使によって解決しようと試みました」「私たちは、自らの行き詰まりを力によって打開しようとした過去を、この胸に刻み続けます」「私たちは、国際秩序への挑戦者となってしまった過去を、この胸に刻み続けます」「何の罪もない人々に、計り知れない損害と苦痛を、我が国が与えた事実」等々、「侵略」といふ言葉を日本に結び付けることこそ避けたが、日本一国だけがひたすらに悪事を行つた――といふふうに読める――謝罪の言葉が繰り返し挿入されてゐて、東京裁判史観べつたりの村山談話を「上書き」したとはとても言へないのではないか。

それに、「戦場の蔭には、深く名誉と尊厳を傷つけられた女性たちがいたことも、忘れてはなりません」とか、「戦時下、多くの女性たちの尊厳や名誉が深く傷つけられた過去を、この胸に刻みます」とかの言葉が、もしも「慰安婦」のことを意味してゐるとしたら――抽象的にぼやかしてはゐるが、さう読めてしまふ――、中西氏ならずとも、「まさに十数年前、『女性国際戦犯裁判(ママ)』をめぐつて故中川昭一氏と共に、朝日新聞やＮＨＫと戦った、あの安倍晋三はどこに行ってしまったのか」といふ疑念を抱かざるを得まい。現に、岸田文雄外相が――つまりは安倍首相が――あの馬鹿馬鹿しい「日韓慰安婦合意」を結んだのはこの「談話」を発表した年の十二月であつた。内容的には繋がつてゐるのである。

右の中西論文からは多くのことを教はつたが、その第一のものは、真の「安倍ブレーン」は故・岡崎久彦氏、故・岡本行夫氏、北岡伸一東大名誉教授――「私は安倍さんに『日本は侵略した』と言つて欲しい」と述べた――といつた外務省と繋がりの深い三氏（「外務省と安倍首相との究極の『癒着構造』を体現している存在」）だつたこと、そして「安保右派、歴史左派」（安全保障は現実的な右派であり、歴史認識は観念的な左派であること〉といふ政策理念を共通して持つてゐることである。私に言はせれば、安全保障は自分の身に係はることなので現実的に考へるのは当たり前だが、歴史認識こそ右か左かの分岐点なのだ。

そして驚くべきは、この岡崎氏こそ安倍首相の「メンター（知的な育ての親）」であり、「歴史認識の問題では、日本はアメリカや中国・韓国の対日批判には絶対に勝てないから、反論したりせずに、ただ謝罪を繰り返して耐えるしかないというのが岡崎氏の考えである。この考えは岡崎氏の強い信念であり、また外務省外交の今も変わらない〈不動の路線〉である」と中西氏が書いてゐる件だ。聞くだに気が滅入るやうな話である。

そして、岡崎氏のもう一つの持論について、中西氏は「集団的自衛権さえ行使できるようになれば、憲法改正は不要というものであった（ただし、後年、岡崎氏は、自衛隊に法的正当性を与えるためには、できれば改正した方がよいが、と付言されるようになった）」と書いてゐる。岡崎氏と長谷川三千子先生との対談本（『【激論】日本の民主主義に将来はあるか』海竜社）でも氏ははつきりとさう言つてゐる。この対談は平成二十四年二月に行はれてをり、三年後「安保法案」で集団的自衛権の行使が可能となり、さらに二年後に改憲姿勢を後退させた例の「自衛隊明記」といふ加憲案が出て来たのだ。

「改憲と拉致」で売つた安倍氏がなぜ急速に後退して行つたのか私には分からなかつたが、ここに至つて、どうやら岡崎氏や外務省の強い影響力の下にあつたといふことがその理由であることが分かつた。さう考へればすべて辻褄が合ふのだ。「安倍政権の本質は、『外務省の、外務省による、外務省のための政権』と言ってよい」とまで中西氏は書いてゐる。さうであるなら、改憲意志の後退と拉致問題の停滞も宜（むべ）なるかなである。辞任当時、巷間、「安倍ロス」などとも言はれたが、これでも読者は安倍氏の「再登板」を願ふのだらうか。

　最後に、歴史観について書いておきたい。私は、日本人でありながら戦前から戦中にかけての日本の歴史を否定的にしか語らぬ人間は、WGIPに呪縛された、しかも不勉強な人間だと思つてゐる。『朝日新聞』やNHKや他のマスメディアを信じ込み、それ以上の勉強をしようとはしないからだ。そして、常識が無いとも思つてゐる。世界が平和裏に暮らしてゐるところに、日本一国がある日突然にゴジラのごとく乱入して行つたなどといふことは、およそあり得ぬことだといふ判断も常識の問題なのだ。確か谷沢永一（たにざわえいいち）だつたか、「歴史は常識学問である」といふ言葉を遺してゐる。

　さう考へる私は、歴史を振り返る時、次のやうな考へ方が最良のものだと確信してをり、満腔（まんかう）の賛意を呈したい。それは「救ふ会」全国協議会会長でモラロジー研究所教授の西岡力先生のものである。中西輝政氏との対談本（『なぜニッポンは歴史戦に負け続けるのか』日本実業出版社）に西岡先生が書いてゐる言葉だ。先生は「私の歴史を見る基準、基本的立場を書いておく」として次のやうに書いてゐる。少し長いが引用する。

「事実関係においてはできる限りの虚偽を排しつつ、価値判断においては自国、自民族、自らの先祖らの側から行う、というものだ。その立場から、自国の歴史に対して、あのときこうしていれば被害が少なくて済んだのではないかという観点や損得判断から『判断を誤った』と評価することと、善悪基準や道徳規範から『判断を過(あやま)った』と糾弾することとを明確に区分し、後者に関しては、当時の国際秩序のなかで誰が見ても許されない行為だったのか、当時、自分が当事者だったらどうしただろうかと熟考する、ぎりぎりの自己主張の立場、『身びいき』の立場に立つことを明確にしておく」。

「身びいき」などといふ言葉は「学者」の肩書があるとなかなか言へない言葉であるが、真理を穿(うが)つてゐる。

私もまた、歴史を「科学」だとするのはマルクス主義と十九世紀の科学主義が作り上げた幻想であり、歴史を巡つては科学的意味の「客観」はあり得ないと考へてゐる。歴史といふものは、認識する主体とは分離できぬ——言ひ換へれば「主観」抜きには成立し得ぬ——「物語」である。従つて、自国の歴史は自国の観点から描くのが当然なのだと考へる者である。

あまりに喜劇的な光景——現象とその理由

令和二年六月号

黒川弘務元東京高検検事長の定年延長の問題は、様々な要素により大いに人々の耳目を集めたが、実を言へば私自身はあまり興味がなかつた。しかもその時期、大学では遠隔授業が義務となり、機器の操作に慣れぬ私は日々悪戦苦闘してゐたのだつた。だが、編集部から依頼があり、改めて新聞記事やネット記事などを読んでみた。すると、そこに浮かび上がつたのは現代日本ならではの喜劇的な光景の数々だつた。

「マッチ・ポンプ」の『朝日新聞』

私はツイッターやフェイスブックなどに関心がなく殆ど読むことはないが、多くの芸能人がハッシュタグとやらを付けて発言したことは、どうせ『朝日新聞』その他の反安倍勢力が火付け役となり、熟考の習慣のない人々が煽動された結果だらうと思つてゐた——安保法案の時のやうに。

実際、阿比留瑠比記者の「極言御免」によれば（『産経新聞』五月十四日）、十二日付の『朝日新聞』には一面トップから「天声人語」まで、合計七本の記事が紙面に躍り、「天地がひっくり返り、日本が滅ぶかのやうな大騒ぎっぷり」だつたらしい。その後、十八日の「朝日新聞ニュースレター」に「異例の抗議なぜ続出？」といふ見出しを見て思はず笑つてしまつた。まさに「マッチポンプ」ではないか。

黒川氏が意外なことから辞職することとなり、検察庁法改正案は政府が今国会での成立を諦めるといふ結果となつた訳だが、その間、枝野幸男氏だの江田五月氏だのといつた法曹界出身の政治家が、そして何と日弁連までが、問題の人事は「三権分立」に抵触するなどと駄法螺（だぼら）を吹いたのには呆れ返ると同時に「頭は大丈夫なのか」と、要らぬ心配をしてしまつた。検察庁は元々行政機関であり、検察庁幹部の任免権は内閣が持つてゐるのだから的外れもいいところだ（実際には検察庁と法務省の合議結果を追認するだけらしいが）。

また、検察庁の定年延長は国家公務員（延いては地方公務員）のそれと連動してゐるので、不成立に追ひ込んだことはむしろ立民党にとつては痛手ではないかと、これまた要らぬ心配をしてしまつた。彼らの支持母体の自治労は定年延長を望んでゐるのだから。

これが『朝日新聞』の知的水準

そして、一連の出来事の中で私が最も驚いたのは、黒川氏の賭けマージャンの相手であつた。所謂「ブンヤ」の世界に疎い私は『産経新聞』の記者と『朝日新聞』の社員（元記者）が麻雀卓を仲良く囲んでゐる図なんぞ想像したことがなかつた。と言ふのも、高山正之氏がこんなことを書いてゐたからだ。昭和五十九年十月三十一日付『朝日新聞』に「これが〔旧日本軍の〕毒ガス作戦だ」といふ写真入り記事が掲載された。だが、『産経新聞』の石川水穂記者がその写真がただの煙幕である証拠を摑み、当時、朝刊デスクだつた高山氏は朝日の誤りを指摘した記事を載せた。すると、朝日の学芸部長が怒鳴り込んで来て、「産経風情が朝日に盾突く気か」と因縁を付け、最後には「産経など潰してやる」と悪態を付いて帰つて行つた……。朝日は数日後に訂正記事を出し、幸ひ『産経新聞』は潰されなかつた訳である（『変見自在　朝日は今日も腹黒い』新潮文庫）。

しかし、考へてみれば、『朝日新聞』の当時の幹部は皆引退してゐるだらうし、今から六年前には「社全体として見れば、個々の記者レベルでは、改憲や増税の必要性を認める者のほうが、もはや多数派である」といふ証言もあつた（朝日新聞記者有志著『朝日新聞日本型組織の崩壊』文春新書）。尤も、それではどうして今なほ改憲潰しや安倍憎しの報道ばかりするのかとの疑問も湧くが、ともあれ、『朝日新聞』とて社員全員が「傲慢で知的障害」（高山氏、前掲書）を患つてゐる訳ではあるまいと思ひ直した。

しかし、他方で私はかういふ経験もした。十数年前に拉致問題に関して『朝日新聞』の記者の取材を受けたことがある。私より十歳ほど年少と思しきその記者は、名刺を差し出しながら「先生は朝日はお嫌ひでせうね」と言ふから「さうだね。潰れればいいと思つてゐるよ」と私は正直に答へた。取材の後の雑談で、彼は「学生時代は柔道に精を出し、胸に日の丸を付けてオリンピックに出るのが夢でした」と語つた。しかし、社内でその話をすると「馬鹿か、お前は」と非難されるのが常である由だつた。当時のさういつた面々が現在は幹部となつてゐるはずだから、『朝日新聞』の小児病的反日的性格は変はつてはゐないのではなからうか。

それはさうと、『朝日新聞』は今回、『産経新聞』よりも一日早く「社説」でこの問題を取り上げたが、「詫び」の部分は全体の十三％に過ぎず、残りは政府批判だつた。しかも「同じ社内で仕事をする一員として、こうべを垂れ、戒めとしたい」といふ何とも似非（えせ）文芸的謝罪であり（「こうべを垂れる」は「うなだれる」のことだからここでは不適切）、同日掲載の「執行役員広報担当」による「不適切な行動、おわびします」に至つては「取材行動ではない、個人的な行動」として業務と切り離し、その上で調査結果を「今後の社員教育に生かしてまいります」と書いてゐる。この「おわび」は賭けマージャンと緊急事態宣言中だつたことを「不適切」としてをり、そんなことをわざわざ「社員教育」として教へる必要があるのだらうか。『朝日新聞』の知的水準を疑はせるのに十分だ。

『産経新聞』も知的誠実を欠く

一方、『産経新聞』も知的誠実を欠いてゐる。「取材源への肉薄」なんぞと書いてゐるが、仲良く賭けマージャンをすることが「肉薄」なのか。それに、二十一日の「東京本社編集局長」の署名記事も、翌日一面の「肉薄」と書いた「本紙調査　おわびします」も、同日の「主張」も、お座なりの言葉で謝罪した後に、揃つて「取材源秘匿」を強調してゐるのである。「取材源」とは情報源、即ち黒川氏のことであらう。今さら、黒川氏を秘匿して何になるのか。この時期、黒川氏は定年延長議論の対象ではあつても、一介の公務員に過ぎず、自らが主導してゐる訳ではないのだから、賭けマージャンをしながら話したことなんぞ大したものではなからう。知りたいとも思はぬ。それに抑々「取材源秘匿」の原則に拘つてゐる場合だらうか。『産経新聞』記者がハイヤーで黒川氏を送り届けてゐたらしいから、度重なればかなりの高額にならう。さうなれば「公務員倫理規程」にある公務員への利益供与禁止に抵触する可能性も出て来ようし、賭けマージャンも常習であれば賭博罪が適用される可能性がある。そして何よりも、「週刊文春」への情報漏洩は『産経新聞』側からとの情報もあるのだ。

「夜討ち朝駆け」といふ言葉があるのは知つてゐる。記者からすれば当事者から直に情報を得たいといふ気持ちにもなるだらう。だが、先年のテレビ朝日の女性記者と財務省の事務次官の例を持ち出すまでもなく、それはともすれば馴れ合ひとなる。自民党の二階幹事長と小池都知事が画策して三十万着以上の防護服とマスク十万枚を中国に送つたことの責任を『産経新聞』はどのくらゐ追及しただらうか。ふだんから親密に付き合つてゐれば、いざといふ時に舌鋒鋭く批判するといふ訳にはゆくまい。一定の距離はどうしても必要だ。新聞協会の「新聞倫理綱領」でも「高い倫理」と「権力からの独立」を謳つてゐるではないか。

かやうに弛緩した数々の喜劇は何から生ずるのか。思ふに、我が国の「長い平和」から来るのではなからうか。「長い平和は常に残忍、小心、粗野で飽食せるエゴイズムを生み、何よりも知的停滞を生み出す」とドストエフスキーが書いてゐる（「作家の日記（Ⅱ）」『全集』第⑱巻、川端香男里訳、新潮社）。恐ろしいほどの真実ではあるまいか。

【追記】

問題発覚後ひと月経つた六月十七日の『産経新聞』第一面に「本紙記者2人を懲戒処分」といふ記事が載つた。黒川氏と賭けマージャンをした社会部次長と記者の二人を「出勤停止四週間」とし、編集担当の取締役が減俸、編集局長と社会部長が減給といふ懲戒処分が行はれ、社長は報酬の十%を自主返上したとの由である。

「調査結果報告」が載つた同日第二十二面の記事は全体的に隔靴掻痒、即ち、やはり身内に甘いものとなつてゐると言はざるを得ない。なぜか。「次長と記者は、7回のうち4回は（略）現金を賭けてマージャンをした」といふことだが、これは飽くまでも緊急事態宣言が発令された四月七日から『週刊文春』の取材を受けた五月十七日までの間のことである。しかし、仔細に読めば、「3年ほど前から（略）メンバーがほぼ固定化し、月に2〜3回」マージャンをしてゐたのだ。つまり、およその計算で七十回から百回程度マージャンをしてゐたといふことになる。そのうち、金を賭けて行つた割合については何の記述もないが、おそらくかなりの頻度で賭けてゐたのではないかと想像する（マージャンといふ遊技は賭けないと面白くないものと聞いてゐる）。今回の「報告」は全体に、緊急事態宣言下で遊技に打ち興じたことが「不適切」だと強調してゐるのだが、それは道徳的もしくは倫理的問題に過ぎない。が、賭けマージャンは明確に違法なのである。刑法第一八六条には「①常習として賭博をした者は、三年以下の懲役に処する」とあるではないか。こちらのはうが問題であるにも拘はらず、その追及はした形跡が無い。隔靴掻痒と言ふ所以である。

［追記］の［追記］

右の記事から半年後、十二月二十五日の『産経新聞』他によれば、東京地裁で不起訴（起訴猶予）

となつてゐた黒川弘務氏が東京第六検察審査会により「起訴相当」であると、残りの三人は「不起訴不当」であると議決された。これにより、検察の再捜査で再び不起訴になつた場合でも、検察審査会が再度「起訴するべき」と議決すると強制起訴されることになる。その時、『朝日新聞』や『産経新聞』はどのやうな記事を載せるのだらうか。

令和二年「腹立ち三題噺」——中共、媚中派、学術会議

令和二年十二月号

中共への黙り決め込む政府

今年最も腹の立つた事を三つ書いてくれといふのが編集部からの注文である。本当は三つでは足りない。ざつと思ひ出しても、政府の「武漢コロナ」への初動の未熟と遅延、中共によるウイグル人、香港、台湾、内モンゴルなどに対する弾圧問題に黙りを決め込む政府と国会、それを批判せぬマスメディア、尖閣諸島の実効支配を一向に可視化しようとしない政府、米国大統領選挙に関する我が国マスメディアの報道姿勢、改憲議論から逃げ回る立憲民主党、都知事選で小池百合子知事に対立候補を擁立できなかつた自民党、マスメディアの益々の劣化、等々（慶事は社民党の分裂と、福島瑞穂党首の出身母体である社民党宮

崎県連の消滅（［追記］参照）。そして「慰安婦報道訴訟」において元朝日記者の植村隆氏が最高裁判決で敗訴したことぐらゐだつただらうか）。

「武漢コロナ」は中国共産党の犯罪

しかし、令和二年を振り返つた時、やはり右の三件に触れないわけにはゆくまい。

先づは所謂「武漢コロナ」の真の発生場所が「武漢病毒研究所」であるのを隠蔽して海鮮市場との偽情報を流し、「ヒトヒト感染」も隠蔽したことにより（門田隆将『疫病2020』産経新聞出版）、世界中に大被害をもたらした中国共産党の犯罪である。あまつさへ、三月には「世界は中国に感謝すべし」「起源は中国とは限らない」といふ記事を国営『新華社通信』が掲載した。この恥知らずの鉄面皮は日本人には絶対に真似できないものである。

それから、世界中が感染病対策に忙殺されてゐる隙に、「香港国家安全維持法」をあつと言ふ間に成立させたことである。特にその第三十八条には「香港特別行政区に永住権を有しておらず、特別行政区外の者が香港特別行政区に対して罪を犯した者も本法律に基づいて処罰される」とある。これは法律の「域外適用」と言はれるもので、他国の主権を無視した狂気の法律である。これに対して当然のことながら、米、加、濠が逸早く共同非難声明を出し、イギリスやフランスも非難したが、菅官房長官は「深い憂慮」、茂木外務大臣は「遺憾」との談話を発表するに留まつた。しかもイギリスの共同非難声明への誘ひを日本は拒否したのである。中国共産党の傍若無人と国際法無視にはもはや慣れてゐるが、かういふ時の我が国の対応に慣れるわけにはゆかない。何か国際問題が生じる度に「国際世論に訴へる」と政府や外務省は何かの一つ覚え宜しく繰り返すくせに、かういふ折角の機会を見逃す臆病と怠惰は赦し難い。本当に外務省は害務省だ。

度し難い二階俊博自民党幹事長

二番目はジャーナリストの古森義久氏の命名による「媚中派」の存在で、中でも度し難いのは二階俊博自民党幹事長の所業である。小池都知事と共謀して、と言ふより彼女に使嗾して、我が国の在庫状況を考慮せずに、さつさとマスク十万枚や防護服三十万着以上を中国に送つた。また、自民党議員の歳費から一律見舞金五千円を送らうとしたこと。結局、「有志」のみと落ち着いたが、そこまでしてあの国に擦り寄りたいのはなぜだらうか（若い頃、何かしらのトラップに嵌つたのだらうか）。そして、最も腹立たしいのは、武漢コロナ禍により中止となつた習近平主席の国賓来日にまだ未練を残してゐることだ。氏は九月十七日の講演で、「中国とは長い冬の時代もあつたが、今や誰が考へても春。訪問を穏やかな雰囲気の中で実現できることを、心から願つてゐる」と述べた。痴の沙汰としか言ひやうが無いが、どこか本気の迫力を欠いてゐるやうにも見える。

この老政治家は何をどう考へて、このやうに言ふのだらうか。政治（家）の世界は魑魅魍魎・百鬼夜行の世界であるとは承知してゐるが、それでもかういふ政治家が与党の幹事長でゐられる理由が私には全く分からない。氏の頭の中を敢へて推測すれば、中国相手の経済活動を望む経済界が現にあり、その意向に沿ふことが長い目で見れば我が国の国益になると考へてゐるのだらう。だが、不徳義の国家が繁栄を続けるといふことはあり得ないだらうし、実際、最近は中央アジア圏のマレーシア、パキスタン、スリランカなど多くの国々で中国との軋轢が生じてゐるらしい（宮崎正弘・藤井厳喜『韓国は日米に見捨てられ、北朝鮮と中国はジリ貧』海竜社）。それに何より、中国からの輸入額は一六九二億ドル、対中輸出額は一七一五億ドルで、我が国のGDP五兆二千二百億ドル（二〇一九年度）に対してそれぞれ三％程度に過ぎないのである（内閣府ホームページより）。微々たるものと言へよう。今回の武漢コロナ禍で欧米諸国も中共の本性を見切つたはずだ。いつまでも中国に肩入れするべき謂れがあるだらうか。

「金食ひ虫」「反権力」の組織は解散を

三番目は例の「赤い巨塔」の日本学術会議（以下、会議）である。今回、改めて会議のホームページを覗くと、「我が国の人文社会科学、生命科学、理学・工学の全分野の約87万人の科学者を内外に代表する機関であり」云々とある。人文系の学者が「科学者」とは迂闊にも知らなかつたし、自分が「科学」をやつてゐると思つたこともなかつたが、この「約87万人」に私も入るのかどうか。そして、抑々この数字は何を集計したのかといふ疑問も湧くが、ともあれ、こんな「代表」を私は選んだこともないし、会員に何かを依頼したことも組織から恩恵を受けたこともない。

従つて関心は無かつたのだが、何か重要な「声明」を出すと、その下部組織である共産党系の「日本科学者会議宮崎支部」から、その声明が記されたビラが勤務先の研究室のポストに配られるので、頼みもしないのに否応なく声明を知ることとなつた。中でも、平成二十九年三月に「会議」が出した「軍事的安全保障研究に関する声明」を読んだ時には非常に驚いた。「こいつら、馬鹿か」といふのが、些か下品だが正直な第一印象であつた。声明に法的効力は無いので目くじらを立てるまでもないかとも思つたが、こんな真赤な組織に年間十億超の税金が使はれてゐると聞いてやはり腹が立つた。

また、別な意味で腹立たしかつたのは、『朝日新聞デジタル』（十月二十九日）によると、約五百の学会、協会が任命拒否について抗議声明を出したことだ。調べてみたところ、私の知人や学友も少なからず所属してゐる「日本フランス語フランス文学会」も「日仏哲学会」も声明を出して、「学問の自由」云々と言つてゐる。高学歴者の集まりにしてはあまりに芸が無いし、語彙不足だ。今回の任命拒否により、「学問の自由」を奪はれた人間は我が国に一人もゐないと断言できる。よほど頭が悪くない限り、むしろ「学問の自由」を阻害してゐるのは会議のはうだと分かるはずである。

私も大学人の端くれだから分かるのだが、多くの大学教員、特に左翼教員は「反権力」といふ幻想に酔ひつつ「反権力」といふ「権力」を行使してゐる。いい気なものだ。だからこそ、首相の任命拒否の理由を公表せよと頓珍漢なことを真顔で主張するのである。それなら、誰が誰を推薦したのか、そしてその推薦理由を先に公開するべきだ。ただし、もしそれを公開したなら、「なぜ、あいつが?」と、日本中の「約87万人」の科学者が蜂の巣を突いたやうな様相を呈し、非学問的な百家争鳴となるであらう。何事によらず、人事の理由を公開しないのは一つの知恵なのだ。

令和二年十月現在の会員名簿をホームページで閲覧してみたところ、「哲学」の分野に三人、「言語・文学」の分野に五人ゐたが、所属大学は有名でも、学者個人の名は一人も知らなかつた。大活躍してゐる学者とは言へないやうに思ふ。かやうなつまらぬ「金食ひ」

の組織は早晩、解散するに如くは無いだらう。

［追記］

冒頭、「社民党宮崎県連の消滅」と書いたが、たぶん「消滅へ」といふニュアンスを私が早とちりしたのかも知れない。右の記事を書いた時（十一月末）にはまだ「消滅」してゐなかつた。十二月二十七日に社民党宮崎県連は臨時党大会を開き、立民党に合流か、或いは残留かを議員、党員に意向を訊いてゐる。最終結論は一月中には出揃ふと言ふが、消滅に向ふことは確かであらう。以上、訂正します。

日本学術会議には通常会員（定員二百十名）の他に、会長により任命され、通常会員の推薦を行ふ「連携会員」といふのがをり、こちらは千八百三十七名と多いのでさすがにこの中には有名な学者が何人かゐる。

さて、今後の我が国の命運に深く係はるのは、中共と媚中派の問題である。令和二年十一月二十四日、王毅国務委員兼外相が来日し、茂木敏充外務大臣や翌日には菅義偉首相と会談を行つた。そして、茂木外務大臣との会談後の共同記者発表の場で、普通は調整済みの原稿を読むのだが、王外相は途中で原稿から目を上げて、何と尖閣諸島に関して自国の主権を守つて行くと主張したのである。この国際常識を大きく逸脱した無礼な言葉を我が外相はニヤニヤしながら聴いてゐたのだ（尤も、元々あゝいふ顔つきだといふ見方もあるかも知れないが）。

この時、茂木外相の姿を見てがつかりした同胞は大勢ゐたに違ひ無い。かういふ時は間髪を入れずに抗議しなければならない。黙つてゐれば認めたことになる。自民党外交部会からも「反論してゐる姿勢が見えない」旨の批判が続出したさうだが当然である。パスカルの『パンセ』にあるやうに、「敵が真理を破壊しようとしてゐる時に平和の内に留まらうとすることは、これもやはり一つの犯罪ではなからうか」（正確さを期すと、『パンセ』には「第二写本」といふのがあり、それに綴じ込まれた紙に筆写されてゐた断章だが、内容は如何にもパスカル的である）。

外務省は茂木大臣を気遣つてか、会談では言ふべきことを言つたとしてゐるが、果たしてどうだらうか。「中国側の前向きな行動を求めた」とか「日本の立場を説明した」とかの表現は、どのやうに支那語に訳されたのか私には分からないが、外国人にものを言ふ場合には、もつと端的且つ率直な表現を使ふべきなのだ。さうしないと外国語に訳す際に通訳者の恣意性が入り込みやすいし、場合によつては「誤訳」の原因にもなるのである。「前向き」といふ言葉は菅首相も加藤官房長官も使つたらしいから、外務省が使つてゐるのかも知れないが、選りに選つて中共相手に使ふものではない。こんなことなら、「瞬間湯沸かし器」のやうなところのある河野太郎前外相のはうがまだ良かつたのではないか。

一部に、日本人の神経を逆撫でした王外相の言動を「失策」と見做し、習近平主席の国賓来日棚上げの材料になると見て、日本政府にとつては却つて良かつたのだと深読みする評論家たちもゐるが、そんなことで喜んでゐる時ではなからう。あれは一種の「宣戦布告」とも聞こえるのである。ともあれ、これほどの侮辱を甘受しなければならない理由はない。菅首相も会談するべきではなかつた。

この共同発表の十二日ほど前に、菅首相がバイデン次期米国大統領と電話会談をし、「日米安保条約」第五条（共同防衛）の有効性を確認したと伝へられてゐるが、民主党のバイデン氏にあまり期待することはできまい。菅首相は記者会見で、バイデン氏の言葉として「コミットメントする」と引用したが、これも多義語であり、「確約する」とはつきり言つた訳ではないところに注意が必要ではないか。それに、ヨーロッパでは相手にされなかつた中共の使者をヘラヘラと相好を崩して「歓迎」し、一方で米国を頼る日本の姿を世界はどう見るのだらうか。

『産経新聞』が行つた茂木外相への単独インタビューが、令和二年十二月二十六日付に載つてゐる。尖閣諸島周辺の中共の活動について訊かれ、相変はらず「領有権の問題は存在しない」なんぞと答へてゐる。そして、中国の武装公船が日本の漁船を追尾してゐることについては、「こういった行動は許されない。なくしてもらう」と言つてゐる。およそ信じられないやうな言語感覚ではないか。動詞の連用形に助詞の「て（で）」を繋げて「もらう」と言ふのは、「他に頼んでその動作をさせる意を表す」（『新潮国語辞典（第二版）』）とあるやうに、「頼む」といふ行為を含意してゐるのである。領海を毎日のやうに侵犯され、王毅外相に「国辱」と言つて良いほどの言葉を浴びせられた後に、まだこのやうな言葉を使ふ神経が理解できない。インタビュアーも驚いたのか、記事の見出しに使つてゐる。政治家は言語使用に秀でてゐなければならない。茂木氏は英語が出来るだけでは何にもならないといふ見本である。

序でに言へば、宮沢喜一や細川護熙氏など、英語自慢が首相だつた時、我が国が大きく国益を損なつたことは記憶されて良い。

【追記】の【追記】

右の【追記】の中で私は「支那語」といふ言葉を使つた。それには理由があり、「蔑称」として書いたのではない——抑々蔑称ではない——といふことを明言しておきたい。一つには、子供の頃覚えた「支那」といふ響きが好きなのだ（「好き」の理由は説明できない）。今でも、ラーメンより支那そば、メンマより支那竹（しなちく）のはうが美味しさうに響くのである。

二つには、「中華人民共和国」（中国）は昭和二十四（一九四九）年に成立した国であり、それ以前に既に生まれてゐた文化には適用できないと考へるからである。つまり、「通時的」に表現しようとすると「中国」では足りないのである。一代の碩学高島俊男氏が書いてゐるやうに、「民族的文化的のことがらについて言う時は『中国』は使いにくい」のだ。氏は例として、「支那美術」「支那陶器」「支那靴」「支那鞄」「支那の文人」「支那の典籍」を挙げてゐる（『支那』は悪いことばだろうか」『本が好き、悪口言うのはもっと好き』大和書房、のち文春文庫）。現在は簡体字などがあるから、正確には昔と異なる部分があるにせよ、言葉は先づは「音」である以上、支那語で問題なからうと思ふ。孫文は日本で署名する時、必ず「支那人　孫文」と書いてゐたさうだ。それに、英独仏語でも、中国はChina（チャイナ）, China（ヒーナ）, Chine（シーヌ）であり、それを研究する学問名もSinology（サイ(シ)ノロジー）, Sinologie（ジノロギー）, sinologie（シノロジー）である。語源は秦の始皇帝の「秦」といふ説もあるくらゐで「差別語」である訳がない。「『支那』といふそのことばがわるいことばだと思い、言い立てているのは、日本人なのである」と高島氏は書いてゐる。

最後に「誤訳」の問題について一言書いておく。昭和四十五（一九七〇）年、佐藤栄作首相とニクソン大統領が行つた会談は、異文化コミュニケーションの失敗例として有名である。特に、外交問題にまで発展したのが佐藤首相の「善処します」といふ言葉だつたことは良く知られてゐる。この二者会談を通訳した官僚は当惑したのではないか。真意を聞いた上でなければ訳せない言葉の一つであらう。『新明解国語辞典（第五版）』（三省堂）によれば、「善処」とは「うまく処理すること（政治家の用語としては、さし当ってはなんの処置もしないことの表現に用いられる）」とある。ところが、英語やフランス語やドイツ語に訳さうとすると、どうしても「適切な処置を講ずる」というふうに積極性を持つ表現にならざるを得ないのだ。「善処」を何と訳したのかを明らかにしないまま、この時の通訳者は亡くなつたので訳語は分からないが、少なくとも佐藤の言葉は「そういう〈相手が断りの意味を感じ取ってくれるのを期待する〉拒否の意を含んだ日本語だったのだが、英訳された段階でそのニュアンスは消えてしまい、ニクソン大統領に誤った期待を抱かせてしまったのである」（鳥飼玖美子『歴史をかえた誤訳』新潮OH!文庫）。

「外国人にはイエス、ノーをはつきり言はなければならない」との格率は中学校で教はるはずだ。英語の得意な茂木大臣や外務省の面々はこの格率を忘れてしまつたのだらうか。

『日本の息吹』令和三年三月号

「獅子身中の虫」には要注意！

バイデン米国新大統領は中共と親密な関係を有してゐるらしいので、我が国としては米中両国の権謀術策を注意深く見極めねばならない厳しい四年間が始まつた。

中共と言へば、尖閣諸島周辺の領海侵入以外にも、最近では「静かなる侵略」で我が国を脅かしてゐる。中共系資本が太陽光発電関連で関与した土地が既に全国に約一千七百ヵ所もあるのだ。この問題に詳しい平野秀樹姫路大学特任教授は、このまま推移すれば、我が国の「帰趨」は「大量移民と地方自治の崩壊、主権の喪失（租界・租借地）、言語や文化の置換、そして日本色の希薄化、消滅」であると、慄然とするほかない警告を発してゐる（『正論』一月号）。

ここに来て漸く自民党の「新秩序創造戦略本部」や「有識者会議」などが「土地取引」に関する新法策定に動き出したが、今までの例から、これも媚中派の暗躍が予想されるので楽観はできない（平野論文参照）。

また、残念ながら保守系議員のすべてが真剣に改憲を考へてゐる訳ではない。「安倍内閣路線」を継承するとした菅内閣も武漢コロナ禍に足を引つ張られてゐる所為か、何やらあたふたしてゐるやうに見える。実際、菅首相の「施政方針演説」に「改憲」の二文字は登場しなかつた。その他、女系天皇や夫婦別姓の推進派なども保守系議員の中にはゐる。同志だと思つてゐた人士が実は「獅子身中の虫」だつたといふことになれば、日本会議の歩みにとつてこれほど大きな障壁はないと思ふ。要注意である。

第二部　「白刃」名義コラム

平成三十年三月号

第一回　配慮といふ名の怠惰

「救う会全国協議会」のホームページによれば、政府作成の啓発用アニメ「めぐみ」の学校での上映率が今年度は全国平均で七・七％程度らしい。折りも折り、『正論』三月号で、福岡県行橋市の小坪慎也市議が「拉致問題解決を阻むおかしな風潮」を指摘してゐる。同市議が十二月の定例議会において市の消極性を質したところ、市の教育長は「様々な立場の子供達がいることに配慮し、上映は行っていない」と答弁したさうである。後に謝罪し撤回したが、要は、在日朝鮮人の子弟が苛めに遭ふ「懸念」があると言ひたいのであらう。

宮崎県の教育長もかつて全く同じ主旨のことを筆者に言つたことがあるから、この種の判で捺したやうな反応には何かしらの理由があるのではないか。私には、例へば校長会などの後の懇親会で「上映して苛めが起きたら大変ですからな」などといふ会話が行はれてゐる図が思ひ浮かぶのだが、どうだらうか。

いづれにせよ、苛めが生ずる「懸念」があるから、といふのは理由にはならない。筆者は人間には人権よりも大事なものがあると考へる者だが、しかし、一般的には極めて大事なものである。拉致被害者は殺人にも似た国家犯罪の被害者であり、さういふ現在進行中の人権侵害を傍観しておいて、今後の「懸念」に過ぎぬものを優先させるのは順序が逆である。これで、「苛めを見たら止める勇気を持たう」なんぞと生徒には教へるのだらうか。苛めが減らぬ訳である。

勿論、右のやうな思考法には、教育界に少なしとしない「事勿れ主義」の一端が見て取れるが、同時に、そこには空理空論の人権思想が横たはつてゐるやうに思はれる。

そこで思ひ出すのが、「一人でも反対があつたら橋を架けない」と言つた美濃部亮吉である。昭和四十二年から何と三期に亙り都知事を務めた彼は、極端に少数派を重視し、首都の環状道路の整備を遅らせ、数々の社会的損失を招いたことは周知のことである。しかも彼は逸早く朝鮮総連の関連施設の固定資産税を免税にし、朝鮮大学校を各種学校として認可した。

かういふ現実を見ない偽善的な人権思想が戦後ずつと我が国に瀰漫(びまん)してゐるやうに見える。偽善は怠惰な人間の揺り籠だから、そして、特に最近ではSNSなどに蝟集する口さがない連中の餌食になるのが恐くて、怠惰な教育関係者は益々偽善の中に逃げ込んでゐるのではないか。上の数字はその結果であらうと思ふ。

我々は何としても拉致被害者を奪還せねばならず、そのためにもこの問題を子供らに教へねばならない。そしてそれは、国家や社会について、それにまた正邪善悪について、多くを教へることになるはずなのだ。

［追記］

『産経新聞』（令和元年六月二十五日）に「拉致啓発アニメ活用進まず」といふ記事が載つた。それによれば、日本政府作成のアニメ「めぐみ」を平成三十年度中に生徒に見せた公立高校は二千六校中二百九十校で十四・五％過ぎなかつた。教育現場では「日本人生徒の朝鮮人に対する憎悪を助長する恐れ」などといふことがやはり言はれてゐるらしい。そんな「恐れ」が本当にあるのなら、指弾されるべきは北朝鮮の政権であるといふことをしつかり教へながら見せれば良いのだから、理由になつてゐない。要するに、やる気がないのである。また、政府の拉致問題対策本部も、ＤＶＤを配布するだけで、その後の指導や管理などは一切行つてゐない。これもやる気がないからである。

このやうな結果を見て、横田早紀江さんは「同世代のめぐみが無慈悲に拉致され、他にも多くの人が連れ去られた現実を学ぶことが、広く命の大切さを考えるきっかけになれば」と語つてゐる。祈るやうな気持ちであらう。

この記事に先立つて、我が宮崎県の活用状況について県の「人権同和教育室」を通じて調べて貰つたことがある。アニメ「めぐみ」については小学校が二十一・四％、中学校が十五・五％、高校が七・七％だつた。高校が少ないが、なるほどアニメは高校生向きではないと思ひ、実写版のドキュメンタリー映画「めぐみ——引き裂かれた家族の30年」（クリス・シェルダン＋パティ・キム監督）のはうはと見ると、何と0％であつた（いづれも平成二十九年度）。

生徒に視聴させなかつた理由も尋ねたところ、小学校と中学校では「過去に視聴した職員や児童がいるから」「年間指導計画の中に、拉致問題の学習を位置づけていなかったから」「どのように指導すればいいかが分からなかったから」といふ理由が多く、高校では「他の人権課題（LGBT等、性的マイノリティや部落問題）について指導したから」といふのがあつた。「位置づけていなかった」云々は怠惰であり、「分からなかったから」云々は無能としか言ひやうがないが、現実がかうであるならば、文科省や政府の拉致問題対策室はDVDの配布と共に「拉致問題学習指導要領」も一緒に付けるべきであらう。政府が真にやる気を見せなければ、何も動きはしないのだ。

第二回　嗚呼、日本の哲学者

平成三十年四月号

カントの『永遠平和のために』は実際に読んだ読者は少ないと思はれる。なぜなら、「かうすれば」といふ仮定に「できるだらう」といふ推量が上乗せされるばかりなので、読んでゐて馬鹿馬鹿しく感じられ、小品ながら読み通すのが非常に億劫だからである。文章も勿論抽象的で分かりにくい。昔、読了したものの、殆ど何も頭に残らなかつた。

しかし、萱野稔人（かやのとしひと）津田塾大教授が、この作品をＮＨＫの「100分de名著」といふ番組で講じた際の教科書があることを最近知つて読んで見た。一九七〇年生まれの比較的若い哲学者（当時、四十六歳）がこの書の何を読み解かうとするのかと興味を持つたからである。

戦争に明け暮れた十八世紀ヨーロッパに生きたカントにとり「平和」が切実な問題であつたことは理解できたし、カントの説が「道徳的な理想論」としての「平和説法」ではないと明快に解説した労は多としたい。

しかし、「自然は人間の性向そのものに備わる機構を通じて永遠平和を保証する」といふカントの言葉をそのまま受容するのは難しいし、「おそらく永遠平和は在りうるものではないにしても、我々はそれが在りうるものであるかのように行為しなければならない」（「人倫の形而上学」加藤新平・三島淑臣訳、『世界の名著㉜カント』中央公論社）といふ同じくカントの言葉を重ね合はせると、「カントの倫理学は現実の人間には何の用もなかつたのである」とするベルジャーエフの評言に軍配を上げたくなる（『ベルジャーエフ著作集③人間の運命』野口啓祐訳、白水社）。

そんなカントだから、解説上手の萱野氏も最後には、平和を確たるものにするためには「理想論をこえた哲学が不可欠」で、それがあつて初めて「理想論の甘美さに身をゆだねることが許される」などと空虚な言葉を書き綴ることになる。

しかし、そんなことよりも小欄が注目したいのは、晦渋なカントの文章を解説できるだけの知性を持つた萱野氏も、身近で具体的な問題では馬脚を露はすといふことである。氏は自著『新・現代思想講義　ナショナリズムは悪なのか』（ＮＨＫ出版新書）において、日本の若者の「ナショナリスティックな被害者意識」を指摘する。自らの既得権（職場）を奪ふ周辺国人への敵愾心が「従軍慰安婦や戦争責任問題で韓国や中国に反発した理由」だと断じ、「彼らにとって、これらの問題は、昔のことでいつまでも日本を批判し、謝罪を要求し、日本から何かせしめようとする策略の一つとなる」と言ふのである。が、後段のどこが間違つてゐるのかと、非正規労働者でも若者でもない筆者は考へる。

朝日・岩波・ＮＨＫに重用される西洋学者の多くはこんなものだ。つまり「即自的に他なるものを対自的に学ぶことをしない」（カール・レーヴィット『ヨーロッパのニヒリズム』柴田治三郎訳、筑摩書房）。この日本哲学界への批判は今なほ有効である。

［追記］

批判的に書きはしたが、萱野氏の前掲書は、欧米の思想家たちの言説を丁寧に吟味した力作であるには違ひない。日本の人文思想界にありがちな「地域主義としてのパトリオティズムはよくてナショナリズムはだめだ、という図式」に対して鋭い批判を行つてゐる点でも、例へば姜尚中氏などの凡庸な議論とは一線を画してゐる。

しかし、私は思ふのだ、I love you. を「私はあなたを愛してゐます」と訳した瞬間に、誤訳とは言へないものの、意味論的に全く等価ではないものを抱へ込んでしまふといふ異言語・異文化間の宿命のやうなものも我々は考慮に入れなければならないのではないかと。

ある時、トランプ大統領が演説の終はりに、聴衆に向つてこの I love you. を言ふのをテレビで見たことがある。しかし、そこには我々の言ふ「愛してゐる」とは明白に異なる意味作用がある。日本語ならば、「どうもありがたう」になるであらう。同様にして、日本語の「邦家」「国家」と nation とでは宿命的に異なるものがあるのではないか。が、萱野氏は nation といふ欧米の文脈で日本を見てゐる。だから「戦前の日本でも、国内経済の崩壊によって貧窮化した民衆がファシズムを推進する大きな力になった」と単純に概括できるのだ。当時の歴史を日本側から見るだけでは真実は分からない。その時、諸外国はどう動いてゐたかといふ歴史の関係性を見なければならない。日本のフランス系文学・哲学者の多くが――特に「花形」学者たちが――さういふ視点を欠いてゐることが私には残念でならない。
尚、カール・レーヴィットについては百頁も参照されたい。

第三回　カタカナ語が多過ぎないか

平成三十年五月号

レジェンド、リスペクト、アスリート、コンプライアンス等々、最近のカタカナ語の氾濫は目に余る。何れも日本語で表現可能なのだから、英語を使ふ必然性が見当たらない。パソコンや所謂SNSの普及に伴ひ、急激にカタカナ語の使用頻度が増えてゐるやうに見える。その昔、渋谷に全方向の交差点ができた時、「スクランブル」といふ語について議論が起きたのが、今となつては懐かしい。現代ではカタカナ語使用への批判を滅多に見聞きしなくなり、その所為か、カタカナ語の増殖は留まる気配がない。

具体的な「物」は外来の物なら仕方あるまい。今さら、「テレビ」や「ラジオ」に訳語を当てても始まらない。しかし、行為や抽象概念までカタカナで表現することはなからう。例へば、テレビなどで「芸能人がプロデュースした店」などと言ふのをよく聞くが、この「プロデュース」の意味が分からない。経営者といふ意味なのか、出資はしないが構想（アイデアとは敢へて書かない）を打ち出したといふことなのか不明だ。「インセンティブ」に至つてはすぐに動機、誘因、刺激などが思ひ浮かぶから、一々文脈を考慮しないと意味を把握できない仕儀となる。押し並べて、カタカナ語は多義的となり意味が曖昧になるのが特徴だ。だから、真当な知性はなるべく使ふまいとするであらう。

呉善花氏によれば、漢字教育を廃止し、表音文字であるハングルを専ら使ふやうになつた韓国では、国民の文章力が低下し「簡潔、単純、直接的という傾向が強く、言葉の奥行きが極めて浅い」らしい（『漢字廃止で韓国に何が起きたか』ＰＨＰ）。さもありなんと思ふ。すべてとは言はぬが、この傾向は韓国の選良の幼稚な思考法とどこかで関係してゐないだらうか。そして、この傾向は日本でも同様で、携帯やスマホのメールの文章がさうである。「リスペクト」なんぞメールどころか大学生の小論文の中に数年前から屡々登場してゐるが、しかし、何でも「リスペクト」で済ますうちに、尊敬以外にも、敬意、崇敬、尊崇、私淑などといつた奥行きと微妙な違ひを持つ言葉を身に付ける機会を失してしまふ、則ち文化の喪失といふことにならないだらうか。

それはさうと、先頃自尽した西部邁氏は、「デュアレーション（持続）」とか「メタファー（隠喩）」とか「リヴォルト（反逆）」などの表記を頻繁に愛用した。訳語も併記してゐるので誤解は生じないが、それならカタカナは不要であらう。原語の綴りならまだ分かるけれども。
この珍妙な表記ゆゑに筆者は氏の文章から遠ざかつて久しいが、氏をリスペクト（敬仰）してゐる人たちも多いやうだ。彼らはこの表記をどう思つてゐたのか、知りたいものである。

［追記］
右の「白刃」は空しく虚空を切るだけとなつたやうだ。特に武漢コロナの発生以後、ロックダウン、オーバーシュート、クラスター、ステイホーム、ソーシアル・ディスタンス、ウィズコロナ、挙句の果てに、Go to トラベルなんぞと珍妙な言葉を行政が使ひ始めたのには恐れ入つた。小池百合子都知事の悪趣味に付き合ふ必要はなからうと思ふ。右のカタカナ語は順に、「都市封鎖」、「感染爆発」、「感染者集団」、「外出自粛」、「対人距離」、「コロナと共生」で十分だ。最後のものは「ともあれ、旅に出よう」とでもするほかあるまいが、考へるのも馬鹿馬鹿しい。
国語国字に関して徹底的に伝統保守を貫いた福田恆存は「外來語」について、既に半世紀以上前にかう書いてゐた。「ドアー」は唐紙には使へず西洋式ドアーにしか使用できないことを例に採り、「英語で這入つてきたものは、『そのもの』から絶對に離れられない、非常に小さな範圍にしか使へない言葉になつてしまふ。さういふことになつてくると、我〻の日常の思考といふものは抽象力を失つてくる。一つ一つのものに即してしかものが考へられない」と（「外來語の氾濫」『全集』第七巻、文藝春秋）。しかし、現在は「もの」だけではなく、抽象語にも累が及んでゐる訳だ。してみると、「外來語の氾濫を放置しておきますと、我々はものを總合したり、統轄したりする能力を失つていく」（同）と言ふ福田が心配した通りになつたといふことであらうか。外来語の「氾濫」への危機感も無くなつてゐるのだから。

第四回　日本は「素晴らしい」か

平成三十年六月号

もう数年前からといふことになるが、「日本は素晴らしい」と言ひた気な「日本礼賛番組」がテレビで流行つてゐる。筆者も幾つか見たことがあり、日頃「反日」番組に腹を立てることが多い所為か、それとも自尊心を擽（くすぐ）られるのが快感だつたのか、最初は面白く感じたことは正直に言つておきたい。しかし、外国人の台詞に字幕を付けずに誇大な抑揚の日本語をかぶせるので、本当にさう言つてゐるのか胡散（うさん）臭く感じられることが多々あり、また、如何にも「やらせ」であると思ふことも多くなり、遂には見なくなつた。

さうかうするうちに、実際に「やらせ」もどきの演出もかなりあるといふことを窪田順生著『「愛国」といふ名の亡国論』（さくら舎）で知つた。副題にある通り、「日本人すごい」が日本をダメにする、といふ視点で書かれた本で、教はるところが多かつた。

ネット上で「日本で一番誇れることは」といふアンケート調査が行はれた際、「四季がある」といふ回答が最も多く、何と六割近くに達したといふ。一種の「偏向報道」による驚きの結果である。

もつと驚いたことは、「反日マスコミ」も「愛国マスコミ」も根は一つであり、「トレンド」に左右される商売であること、そしてこの流れに最も竿差してゐるのがＮＨＫと『朝日新聞』らしいといふことだ（詳細は同書に譲る）。

ところで、物事には両面があるやうに、文化にも長所短所の両面があり、その善し悪しの判断自体も主観による。そして、頗る厄介なことに、自らの文化の長所だけを残して短所を抑へ込むなどといふ芸当はできない相談なのだ。何となれば、両者は裏では通じ合つてゐるからだ。同じコインの裏表と言つても良い。

日本人は極めて愛想が良い。ヨーロッパでは私生活で良くとも仕事中は悪い。けれども日本人は仕事中でも愛想が良いのだから、外国人観光客からの評判は良いに決まつてゐる。しかし、その愛想良さ、争ひ事を避けようとする温厚な性格は、例へば外交（背広を着た戦争）の場で我が国益のために必死で戦ふことには残念ながら繋がらず、また、相手の悪意に気付かぬ「お人良し」の傾向の源でもある。

いづれにせよ、我が国は戦勝国によつて「戦力」と「交戦権」を奪はれた憲法を後生大事に掲げ、折角の改正の機会を目前にしながら、自衛隊を明記することだけを目標として、前項との矛盾を解消するだけの覇気も知恵もない政党が最大の政治勢力である。そんな国が一流である道理はない。

とは言へ、日本人の人間的な美徳は勿論多いに違ひない。そしてその代表的な美徳は「謙譲」なのだから、この美徳を大事にして、何事であれ「世界一」などと浮かれ騒がぬことが肝要であらう。文化といふものは優劣を論じても仕方がないのだから。

［追記］
窪田氏は右の本で「『反日』も『愛国』も信念ではなくビジネスである」「『愛国』と『反日』のバランスをとるのが『中正』」と、『朝日新聞』の報道姿勢について指摘を繰り返してゐる。
確かに、最近では記事自体は比較的公正を保つてゐるのに、そこに学者や評論家を登場させて大いに反日的言辞を拡散させるといふ手法を採つてゐるやうに見える。が、それもそのはずだ。氏の引用に教へられたのだが、「朝日新聞綱領」の中には「真実を公正迅速に報道し、評論は進歩的精神を持してその中正を期す」とある。前半はどの新聞社でも同じやうなことを掲げてゐるだらうが、後半の「進歩的精神」といふのがクセモノである。「進歩的精神を持して」といふことは「進歩主義」を奉ずるといふことであり、それは既に一つの態度である。私はそれが悪いとは言はない。しかし、一つの態度である以上、「中正」ではあり得ない。再び言へば、「中正」でないことも悪いとは言はない。報道に携はる人間が「客観的」であらうとすることは大事であるが、人間が真に「客観的」であり得るかは別の話である。従つて、我々としては、窪田氏の言ふやうに「『マスコミの報道は中立公正』という思い込みを捨てること」が肝要である。

尚、若い読者のために付言すれば、「進歩主義」「進歩派」「進歩的知識人」などの言葉は（「革新派」といふのもあつた）、昭和三十年代からたぶん五十年代あたりまで盛んに使はれた言葉で、今で言ふ「左翼」「左派リベラル」のことである（と書いたが、たまたま石原萠記氏の浩瀚（こうかん）な『続・戦後日本知識人の発言軌跡』（自由社）を捲つてゐたら、「進歩的な編集姿勢の『週刊金曜日』」云々とあり、これが平成十四年に書かれた文章であるから、もつと最近まで使はれてゐたのかも知れない）。

当人たちは「社会の矛盾を変革しようとする前進的な思想」（『広辞苑（第六版）』（岩波書店）だと思つてゐたであらう。そのため、どうしても「現状否定」「文化否定」「反体制」「反日」といふことになる。特徴として破壊衝動のみがあり、その先で何を打ち建てるかを考へないからいつまでも「幸福」にはなれない。左翼の思想家に「幸福論」や「人生論」の著作が無い、もしくは極めて少ないのはその所為であると私は見てゐる。

当時、進歩主義者たちを最も批判し、相手からは目の仇(かたき)にされた一人が福田恆存であつた。その福田は「進歩主義の自己欺瞞」といふ文章を『文藝春秋』(昭和三十五年一月号)に書いてゐる。

「日本の進歩主義者は、進歩主義そのもののうちに、そして自分自身のうちに、最も惡質なファシストや犯罪者におけるのと全く同質の惡がひそんでゐることを自覺してゐない。(略)したがつて、彼等は例外なく正義派である。愛國の士であり、階級の身方であり、人類の指導者である。そのスローガンは博愛と建設の美辭麗句で埋められてゐる。(略)彼等は一人の例外もなく不寛容である。自分だけが人間の幸福な在り方を知つてをり、自分だけが日本の、世界の未來を見とほしてをり、萬人が自分についてくるべきだと確信してゐる」(『全集』第五巻、文藝春秋)。

あれこれの新聞や左派の評論家たちの顔が思ひ浮かぶ。が、それにしても隔世の感がある。現在の『文藝春秋』にこれだけの文章が載るだらうか。

第五回　平和主義者が理解出来ぬこと

平成三十年七月号

かつて松原正は、戦争や防衛を語る知識人の多くが「平和はよい事に決まつてゐるが」と一言断る知的怠惰を批判しつつ、人間が人間である限り戦争は無くならない所以を徹底的に闡明した（『戰爭は無くならない』地球社。現在は圭書房版『全集』第三巻）。筆者は若い時にこれを読んだお蔭で所謂「平和主義」の陥穽に嵌ることはなかつた。そして最近も、「戦略」といふ視点から書かれた良書に出会つた。それはエドワード・ルトワック著『戦争にチャンスを与えよ』（奥山真司訳、文春新書）である。氏はルーマニアで生まれ、イタリア、イギリス、アメリカで研究を行つた戦略家にして国防アドバイザーだ。

平和主義者が目を剥きさうな書名の意味は「平和は戦争によつてもたらされる」といふ逆説である。つまり、当事者（国）が徹底的に戦つて勝負がつくことが大事で、そこで初めて平和が訪れる。だから、第三者が介入して停戦や休戦などを押し付けると、「平和につながる敗戦の否認を劣勢側に許し、戦争状態を永続化させてしまう」ことになる。著者はさういふ不幸な例をユーゴスラビアの内戦やセルビアとクロアチア、ボスニアとヘルツェゴビナの紛争などに見てゐて、説得力がある。

この見方が正しいとすれば、朝鮮半島に「平和」が来なかつた理由もそこにあると言へようし、また、我が国の戦後の発展は、完全なる敗北を喫したゆゑに「仕切り直し」ができた結果とも言へるであらう。

しかし、日本の場合、経済的発展の裏で平和主義といふ欺瞞に取り憑かれたことが問題である。

憲法九条には「日本国民は、正義と秩序を基調とする国際平和を誠実に希求し」とあり、所謂「前文」には「平和を維持し、専制と奴隷、圧迫と偏狭を（略）除去しようと努める国際社会において」云々とある。護憲派はこのやうな「崇高な理想と目的」に酔ふのだらうが、これは如何にも「明白なる運命（マニフェスト・デスティニー）」や「正義の樹立」（憲法序文）が好きなアメリカ人的思考である。だから、日本の護憲派は酔ふだけで、肝心な正義については何も考へようとしない。

だが、米国側が日本に精神的な武装解除をさせようとして押し付けた現行憲法における「諸国民の公正と信義に信頼してわれらの安全と生存を保持」云々は「皆さんに従ひますから命だけは助けて下さい」といふ詫び証文だ。平和とは何の関係もないこの空文は、日本人を「敗北感から、のみならず罪悪感から救ひ出し（略）、無意識的な自己正當化の狡（ずる）さを教へ込んだ」に違ひない（福田恆存「平和の理念」『全集』第五巻、文藝春秋）。

ともあれ、専守防衛の「最低限の実力」では殆ど何もできず、世界の悪を「除去」することなどできはしない。そして一層難しい問題は、世界に平和をもたらさうとする行為が逆に戦争を長引かせることになるといふ「逆説的論理」（ルトワック氏）の存在だ。善意の難民支援が紛争と難民を永続化させるといふことがある。平和主義者には理解できないことであらう。

［追記］

ルトワック氏は同書で、戦争の悲劇が起こる理由を、当事者の「まあ大丈夫だろう」といふ油断に求めてゐる。そして、日本の対北朝鮮政策の選択肢としては「降伏」「先制攻撃」「抑止」「防衛」の四つがあるが、日本政府はいづれも選択せずに「まあ大丈夫だろう」といふ無責任な態度に終始してをり、それは「平和を戦争に変えてしまう」ことだと言つてゐる。我が国には観念的（空想的）平和主義が瀰漫してゐるが、それは一発のミサイルで粉砕されることであらう。「親孝行したい時には親は無し」の伝でゆけば「国防をしたい時には国は無し」といふことになるのかも知れない。

第六回　九条の制定経緯を知らしめよ

平成三十年九月号

数年前から左翼陣営が意味ありげに使つてゐる言葉に「立憲主義」がある。彼らはこれを「国の権力を縛ること」だと主張するが、一知半解か為にする議論だ。「政府を制限し続けるが、国民は制限されてはならない、などと語るのは、歪な絶対主権の信奉者でしかない」のである（篠田英朗『ほんとうの憲法――戦後日本憲法学批判』ちくま新書）。要するに、立憲主義で最も大事なことは、「万人」が「法の支配」を受けてゐるか否かなのだ。

しかし、右のやうな誤れる考へ方を流布させたのが東大法学部を中心とした一大勢力だといふから（篠田氏）、我が国にとつて由々しき問題である。さう言へば、筆者から見てまともな憲法学者の殆どすべては東大以外の出身である。

因みに言へば、筆者が時々覗く『ポケット六法』（有斐閣）の編集委員は十三人全員が東大教授と名誉教授である。何か錬金術的なギルドのやうな雰囲気だ。彼らが本当に毎年「編集」作業などしてゐるのだらうか。

それにしても、「九条の会」の愚昧な議論も同様だが、篠田氏のものも含めて真面目で学問的な議論を読んだ場合でも、筆者の頭に浮かぶのはかくまで現行憲法を肯定しながらでしか議論ができないのかといふ疑問である。

九条を巡る立法主旨については「日本が二度とアメリカに歯向へないやうにする」ためのものであつたと大方の見方は一致してゐる。そこに、殆どが素人の集団による短期間の策定、翻訳日本語の未熟、占領国の横暴、被占領国の無力などの諸要素が加はつて出来た条文であるから欠陥品に決まつてゐよう。だから、「戦力」にしても「交戦権」にしても「芦田修正」にしても多義的で、その「正解」を巡り学者や政治家が七十年もの間延々と議論して来た。しかも誰もが納得できる結論に至らない。これを異常なことと言はずに何と言ふのか。

従つて、少なくとも日本人側から九条を論じる場合、欠点を修正するといふ観点しかあり得ないと筆者は考へるが、東大系の憲法学者は議論に先立つて先づ現行憲法を認め、その上で理念やら意味だとかを後付けで議論するのだから、彼らから改正論なんぞ出て来る道理はないのである。

そんな東大の学者を招いて勉強会をする自民党だけのことはあつて、碌（ろく）に議論もせずに「安倍加憲」に傾いてゐるが、九条二項の削除なしに「戦後レジームからの脱却」なんぞあり得ない。現政権は今からでも遅くないから、小堀桂一郎氏も言はれるやうに、この欠陥条項が定められた経緯を国民に知らせ、これを放置しておいて良いのかといふ「啓蒙活動」に努めるべきであり、それは「憲法改正の発議に先立つて」必要なことだ。（『産経新聞』正論欄、平成三十年四月二十五日）。卓説である。

［追記］

私は宮崎県内で憲法改正の必要性を説くために数十回の講演を行つたが、憲法が制定された「経緯」、即ち、誰が主導し、誰が草案を書き、それは何語で書かれ、どのくらゐの時間をかけたのか、等々について、その種の講演会に参加する人たちでさへ多くの人が知らないことに驚いた。しかし、講演会後のアンケートを読むと、私より年配の参加者が「自分は九条にだけは手を付けてはいけないと思つてゐたが、そんなことはないと、今日の講演で分かつた」と書いてゐるのだ。「九条の会」の会員はともかく、特に政治的に偏向した人でなければ、即ち「常識」があれば、改憲の必要性を理解するはずなのである。

尚、自民党が勉強会に招いた「東大の学者」とは宍戸常寿氏のことである。この「勉強会」については八十一頁を、宍戸氏については五十頁以下を参照されたい。

第七回　性的少数者の政治利用

平成三十年十月号

杉田水脈衆議院議員の論文「『ＬＧＢＴ』への支援の度が過ぎる」が『新潮45』（八月号）に掲載されて以来、この問題が改めて世上を騒がせてゐる。ＬＧＢＴの人たち（筆者は杉田氏と同様、ＬＧＢとＴは区別するべきものと考へるが今は措く）も労働し税金を納めるといふ国民としての「義務」を果たしてゐる限り国民であり、ＬＧＢＴに対する個人の好悪はともあれ、公的な差別をするべきではない。ところが、彼らには「生産性がない」と書いたので杉田女史は激しく糾弾されることになつた。子供を拵へることだけが「生産性」ではないし、敢へて拵へない夫婦もゐれば、欲しくても子宝に恵まれない夫婦もゐるのだから、少々言葉足らずと言へよう。

しかし、憲法第二十四条で言ふ「両性の合意のみに基づいて成立」した男女の夫婦とさうでない「カップルでは行政上の対応が異なるべきだ」との杉田氏の主張は首肯し得る。同条を最後まで読んでも「両性」の平等を謳つてゐるし、それが常識でもあり叡智といふものでもあらう。

憂慮すべきは、ＬＧＢＴ問題によつて行政的、社会的な慣習が、性的少数者への配慮といふ美名の下に否定されることである。実際、筆者の住む地域（宮崎市）も、市に提出する申請書や通知書のうち、これまで性別欄の設けられてゐた五百六十五件のうち百五十件を性別欄削除の対象とした。男女の区別は長い間社会的に認知されて来たし、人間性や文化文明の重要な構成要素でもある。書類上での性別の明示が「人権」を損なふといふのは理解に苦しむ。百歩譲つて、Ｔが二分法を苦痛と言ふのであれば、「男・女・他」と三択にでもすれば良い。国民の大多数が享受する性別表記の利便性まで否定する必要はなからう。

行政は一般的に臆病であり、特に「差別」といふ言葉に頗る弱い。右のやうなことが「蟻の穴より堤の崩れ」となり、戸籍やマイナンバーなどにおける性別表記などにも適用される可能性がある。既に、学校における男女混合名簿は主流になりつつある（当然ながら、教員たちには非常に悪評であるにも拘はらず）。

もう一つの問題は、杉田女史が国会で「科研費」審査の不透明なあり方を取り上げ、また『なぜ私は左翼と戦うのか』（青林堂）と旗幟を鮮明にした著書を出してゐるからであらう、左翼陣営がひたすら揚げ足を取つてゐるといふ点である。『朝日新聞』が鬼の首でも取つたかのやうに、「ナチスの優生思想とリンクする」（七月二十四日）と同性愛者の言葉を引いたが、為にする議論であり針小棒大もいいところだ。

ＬＧＢＴの人たちが「我々を差別しないでくれ」と言ふのは理解できる。しかし、『朝日新聞』や左翼系知識人と政治家たちは「救済」といふ名目で彼らを政治的に利用してゐるだけではあるまいか。

【追記】

杉田女史の本は、男性議員でもなかなか書けない（或いは、書かうとしない）直言の書だ。LGBTの問題が出て来るのは第五章「まやかしの人権主義にだまされるな」である。そこで女史は「男女平等は実現しえない妄想」と、これまた左翼陣営からの反発が必至のことを言ふ。ただし、これは「男女の役割分担」が厳としてあるといふことを彼女なりに定式化しただけであり、道理の分かる人間には当たり前の認識であらう。

そして、憲法が基本的人権を認めてゐるのに、どうして新たに「LGBTの権利」が必要なのかと反問する。「新しい権利」をつくると「権利のインフレ」が生じ、それはLGBTでない人への「逆差別」になるのではないか、それはそれで「大きな人権侵害」だと言ふのである。これはなかなかに鋭い指摘であつて、杞憂ではない。

自ら同性愛者であることを公表してゐる元参議員松浦大悟氏の論文「学術会議はLGBTを分かっていない」（『WiLL』令和二年十二月号）を読んで知つたことであるが、任命拒否問題が起きてから一躍有名になつた「日本学術会議」（より正確には、その下部組織「法務委員会」のそのまた下の「社会と教育におけるLGBTIの権利保障分科会」）が、令和二年九月に「性的マイノリティの権利保障をめざして（Ⅱ）―トランスジェンダーの尊厳を保障するための法整備に向けて―」といふ提言を出してゐた（提言の題目に「（Ⅱ）」とあるのは、平成二十九年九月に一度目の提言「性的マイノリティの権利保障をめざして——婚姻・教育・労働を中心に」を出してゐるからである)。分科会の名称にあるIは「インターセックス」のことで、医学的には「性分化疾患」と言ふらしいが、どうやら昔から両性具有者とか半陰陽とか二形(ふたなり)とか言はれて来たものだ。

私もホームページを開き提言を読まうとしたが、全六十五頁といふ長大な提言であり、しかも横書きなので敬遠して、冒頭にある「ポイント」(要約)と松浦氏の論文を参考にして、問題点を指摘したい。

それぞれを一読して先づ分かることは、一度目の提言では「性的マイノリティの権利保障全般」を論じたのだが、今回のものは「トランスジェンダーの権利保障」に焦点を絞り、さらには平成十五年に成立した「性同一性障害特例法」を廃止し、トランスジェンダーが自己申告だけで性別を変へられるやうに「性別記載の変更手続きに関する法律(仮称)」を制定せよと提言してゐるといふことだ。

この「特例法」は、性同一障害者が特定の要件を満たせば戸籍上の性別記載を変へられるやうにしたもので、その要件の一つが「性別適合手術による生殖腺の除去と、近似した外性器の形成」ださうだ。ところが、新提言ではこの特例法は時代遅れだとして、手術要件を廃止せよと訴へてゐるのである。しかも、松浦氏によれば、性同一性障害とトランスジェンダーは同一の概念ではない。後者は「アンブレラ・ターム（包括的な概念）」で、その下に、手術を望まないトランス女性（男性の体で生まれたが性自認は女性）、トランス男性（女性の体で生まれたが性自認は男性）、Xジェンダー（どちらにも分類されたくない人）、トランスヴェスタイト（異性装を好む人たち）など多岐のカテゴリーがあり、性同一性障害者はそのうちの一つのカテゴリーなのだ。

かうした人たちが自己申告だけで自由に性を変更できるとしたら、社会が大混乱することは容易に想像がつく。十年前に手術要件を廃止したイギリスでは、「スポーツジムの女性用シャワールームに男性器が付いたままのトランス女性が入ってきても、誰も何も言えない。（略）ノルウェーでは、ペニス付きのトランス女性に注意した女性が警察に通報された」（松浦氏）といふ笑ひ話のやうなことが起きてゐる。我が国には温泉文化があるから余計に始末が悪い。「日本学術会議」とは本当に非常識なことを考へる団体だ。

松浦氏は最後に言ふ。「マジョリティは性的マイノリティを思いやり、性的マイノリティはマジョリティを思いやる気持ちが大事であり、落しどころを探っていかなくてはならない」、そのためには「日本学術会議はトランスジェンダーの利害関係者だけでなく、女性やその家族である男性たちの意見を代表する学者も議論に参加させるべき」であると。全くの正論であるが、学術会議の側は聴く耳を持たないだらう。社会を混乱させることが目的なのだ。しかし、松浦氏よ、心配なさるな。こんなバカな提言を立法化するほど、日本人はバカではないと私は信じてゐる。

第八回　闇黒社会の到来か

平成三十年十一月号

『新潮45』の事実上の廃刊の切掛けとなつた同誌十月号の特集「そんなにおかしいか『杉田水脈』論文」（いづれの文章も誠実に書かれてゐる）を読むと、左翼の政治家からインテリまで、まともな論理や思想なんぞ持ち合はせてゐないことが良く分かる。

寄稿者の一人で、Gとして寄稿してゐる平成研究家かずと氏によれば、今回の騒動の火付け役である立憲民主党の尾辻かな子衆議院議員は杉田女史の「LGBTの方々だけに特別に税金を注ぎ込むような施策が必要ですか?」といふ質問に答へてゐないのだ。勿論、答へられないからである。また、同じくGとして寄稿してゐる元参議院議員の松浦大悟氏によれば、野党が目指してゐる「LGBT差別解消法案」は除去すべき「社会的障壁」の一つに「観念」まで挙げてゐる。心の中まで規制しようといふのは正気の沙汰ではない。これが通れば、闇黒社会の到来となるであらう。

さらに同氏は、『新潮45』の編集長はリベラル派にも寄稿を呼びかけたが、誰一人応じなかつた、「逃げた」のだと言つてゐる（TV番組での発言）。

これらのことも大問題だが、新潮社の社長が同誌の廃刊を決めたことはさらに大きな問題である。

執筆者に「偏見と認識不足」があつたといふ理由で雑誌を廃刊してどうしようと言ふのか。同誌は何も文科省推薦の公序良俗のための雑誌ではあるまい。それに、「常識」を疑ひ、ある種の「偏見」があるからこそ人は作家や評論家になるのではないか。廃刊は一方的に議論に終止符を打つ行為であり、無責任極まりない。それとも新潮社と雖も抗し切れない程の圧力が掛かつたのだらうか。だとすれば、これまた闇黒社会の到来である。

七人の著者のうち最も厳しい批判に晒されてゐるのは小川榮太郎氏である。しかし、氏の文章に「偏見と認識不足」があるとは思へない。文章にやや挑発的な所があり、考へを異にする読者が過剰反応を起こしてゐるだけではなからうか。

また、文章をきちんと読めてゐない御仁が多い。小川氏はLGBTが痴漢と同じ「犯罪者」などと言つてゐるのではない。LGBTが単なる個人の「嗜好」ではなく「脳由来」のものであるとすれば、痴漢も同じことではないかといふ形式論理を述べたに過ぎない。氏が言ひたいのは、本来秘せられるべき「性的嗜好」を人前であからさまに語る勿れ、そしてその嗜好を逆手に取り権利などを獲得しようとする勿れ、「生きづらさ」といふ「人生の私的領分」に他人を巻き込む勿れ、といふことである。小欄も同感だ。

この程度で廃刊となると、「差別」のひと言が益々甚大な力を持つことになる。闇黒社会の到来だ。

［追記］

私はなぜ大出版社である新潮社の社長が『新潮45』の廃刊といふ思ひ切つたことをしたのか気になり、その後も複数の雑誌やネット記事などを読んだのが、私の調べ方が不十分だつたのか、さして明確にはならなかつた。誰の執筆だつたかは覚えてゐないが、一番説得力があつたのは、近年、発行部数が大きく落ち込んでゐたので、この筆禍事件を機にこれ幸ひと廃刊にしたといふ見方であつた。

他にも色々な意見があつたが、一番驚いたのは、ネットの「日経ビジネス」に載つてゐた小田嶋隆氏の「『新潮45』はなぜ炎上への道を爆走したのか」（平成三十年九月二十一日）であつた。氏は杉田論文が炎上したのは、杉田女史が「安倍晋三首相のお気に入りの女性議員」であり、「勘の鋭い読み手は、行間に見え隠れする総理の顔に、慄然とせずにおれなかったのである」と言ふ。なぜなら、「杉田議員は、様々な場所で総理の内心を代弁する役割を担ってきた議員」だからださうである。

コラムニストとは偉いものだと思ふ。「総理の内心」までを見通す眼力が備はつてゐるらしいのだ（私も本年三月で大学を定年退職するので、以後、肩書はコラムニストを自称するつもりだが、僭越だらうか）。

このやうな眼力を持つ小田島氏は、憲法第九条を論じた文章で、「九条のもとで、十分に国は守れる」と断言する。何となれば「戦後からこっち、われら日本国民が、六十有余年の間、ひとたびの戦争も経験せず、具体的な侵略の脅威にさらされることもなく、平和のうちに暮らしてきたという実績を挙げれば足りる」（「三十六計、九条に如かず」、内田樹他編『9条どうでしょう』毎日新聞社）と言ふのだから恐れ入る。

北方四島や竹島を奪はれ、昭和四十六年以後は尖閣諸島も狙はれ、無辜の国民を多数拉致されても、「平和のうちに暮らしてきた」と言ふのだから、氏の眼力は実は恐ろしく貧弱なものであることが分かつた次第だ。こんなコラムニストに「総理の内心」なんぞ分かる訳が無い。

第九回　自己教育は自己責任である

平成三十年十二月号

「主体的・能動的な学修」を意味する「アクティブ・ラーニング」なる言葉が教育界で

盛んに用ゐられてゐる。平成二十四年に出された中央教育審議会の答申「新たな未来を築くための大学教育の質的転換に向けて〜生涯学び続け、主体的に考える力を育成する大学へ〜」で登場して以来である。

従来の知識伝達中心の授業では受動的な人材しか育成できないので、学生が「主体的に自ら問題を発見し解を見出していく能動的学修」（文科省ホームページ）が必要であるといふことらしい。そしてその具体的方法は「ディスカッションやディベートといった双方向の講義、演習、実験、実習や実技等を中心とした授業への転換」であり、期待できる効果としては「生涯学び続ける力を修得できる」といふのだから驚いた。

現今の大学生の知的水準を知らぬ夢想家（たち）の文章であると推量せざるを得ない。勿論、授業には様々な形態があつて良い。それは否定せぬ。しかし、右のやうな形態を「中心とした」授業で良い訳がない。なぜか。「東大生の知識教養は旧制の高校生程度である。卒業時に漸く旧制高校生の真ん中程度であるが、しかしこれは東大生の話で、早慶より下になると、そのレベルには達しない」（小谷野敦『文学研究という不幸』ベスト新書）といふ見立てがあり、小欄はこれに同感だからである。

無学な我が身を振り返つても、ひと頃言はれた戦後教育の「知育偏重」などといふ批判はどこから出て来たのか不思議だ。それにハーバード大学のマイケル・サンデル教授の真似かどうか知らぬが、ディスカッションやディベートは正確な知識と論理構築力といつた高度な学力がないと所詮成り立たぬから、一流校以外では無理である。

それにまた、「向学心」や「主体性」は如何に優秀な教師と雖も教へられないものの筆頭ではないか。「馬を水辺まで連れて行くことはできるが、水を飲ませることはできない」といふ英語の諺もある。自己教育は自己選択、自己責任の最たるものであるし、学歴とは何の関係もない。小欄は高卒で勉強家の社会人を大勢知つてゐる。

ともあれ、この答申では、座学を中心とした受動的な授業が多かつたはずの寺子屋、藩校、戦前戦後の学校教育などでの成果や我が国のこれまでの発展を全く説明できまい。

学生が育たないとしたら、本も新聞も全く読まない、元々向学心の欠如した学生の存在と、何かと新奇な制度や学説に飛び付く文科省や教育界の体質に原因がある（「ゆとり教育」の失敗を想起すべし）。大事なのは、先づは大学数を減らすことであり、制度をいぢくり回すやうなことはせず、生徒・学生にしつかりとした知識・技術を粛々と授けることであらう。後は本人の問題である。


【追記】

「向学心の欠如した学生」について考へると、多くの大学はおそらく一九八〇年代後半には役割を終へてゐたのではないかと思はれる。

ファーブルの『昆虫記』の訳者として著名な奥本大三郎氏は横浜国立大学で教鞭を執つてゐた時、学生たちの幼児化、無気力などに失望して大学を辞め、後日その経緯を『文藝春秋』に書いた（『虫のゐどころ』新潮文庫に所収）。印象的な話題の一つはかうである。氏がある画集を教室に持参し学生に回覧させたが、画集が途中で止まつたので持つてゐた学生に事情を訊くと、後ろの学生が「いいです」と言つて受け取りを拒否してゐたといふ話である。拒否した学生も大馬鹿者だが、拒否された学生も、一人置いて次の学生に渡すなどの機転が利かなかつた訳である。それが一九八八年だつた（尤も、氏はその後二年ほどして埼玉大学に再就職したので、氏の学生批判は些か竜頭蛇尾に終はつたが）。

私も先年、授業中にある参考書を口頭で伝へたところ、三十名ほどの学生のうち誰一人としてメモを取らうとしなかつた。教員生活の中で感じる最大の悲哀である。が、以上は国立大学での話である。所謂「F大学」にランク付けされてゐる大学については想像するだに恐ろしい。

かういふ現実からして、大学数を減らすべしとの私の主張をご理解戴けると思ふ。文科省の統計によれば、令和二年五月時点で、学部生の総数は二百六十二万四千人で、最多記録を更新した（短大の学生数は十万八千人で前年度より五千人減）。大学・短大数を半分に減らせば、単純計算で百三十万内外の若者たちが世に出て働くことになる。外国人労働者に頼らずに国内労働力の不足を補ふ方法の一つではなからうか。

［追記］の［追記］

令和二年十二月四日の『産経新聞』正論欄に、青山学院大学教授の福井義高氏が「『大学進学推進策』は望ましいか」といふ文章を寄せた。題名から想像されるやうに、「この制度は対象となる学生にとって必ずしもプラスになるとはかぎらない」といふ視点からのものだ。令和二年度から所謂「大学の無償化」が開始されたので当然進学率が上昇したが、その結果「大学生の多くが高校レベルの内容を理解してゐないし、中学校レベルの内容すら理解してゐない学生も少なくない」と氏は言ふ。真に向学心があり学力もある貧困家庭の子弟には良い制度であるが、圧倒的多数はさうではあるまい。それゆゑ、「学力が十分でない学生を前提に、実学重視を掲げる私立大学が増えている」さうだ。だから氏は「実業高校を復権させ大学進学率を下げれば、（略）家庭にとって経済的負担減となり、国全体としても歳出を減らせる。（略）労働力不足に対する有力な処方箋でもある」と結論してゐる。商業や工業などの実業学校がなぜか嫌はれるやうになり、学校名を変更しカタカナの学科名を創設して生き延びてゐる高校も増加してゐる中、「実業学校の復権」はさう簡単ではないが、一つの案としてはあり得ると思はれる。

第十回　どうかしてゐる安倍政権

平成三十一年二月号

旧臘八日に国会で可決成立した改正出入国管理法は穴だらけの欠陥法で、何よりも急ぎ過ぎである。

旧日本軍の失敗の過程は「主観と独善から希望的観測に依存する戦略目的が、戦争の現実と合理的論理によって漸次破壊されてきたプロセスであった」と『失敗の本質――日本軍の組織論的研究』（戸部良一他、中公文庫）にあるが、今回の外国人労働者受入れ法案はまさにこれの繰り返しとなるのではないか。

現在でも「技能実習生」（約八割が中国人）が毎年数千人の規模で失踪者となつてゐて、その管理もできないのに、「出入国在留管理庁」（仮称）を作ればきちんと管理できるであらうとか、詳細は「省令」で何とでもなるとか考へるのは独善的な「希望的観測」でしかない。なぜなら、移民受け入れで成功した国は無いからである。

遠くはドイツとフランスの失敗があり、最近ではイタリア、カナダ、オーストラリア、ニュージーランド、そしてスウェーデンがとりわけ中国人の増加に頭を悩ませてゐるやうだ。街の人口の半分以上を中国人が占め、あつと言ふ間にチャイナタウンができる。しかも彼らには定住先の文化を尊重する気が無い。我が国でも千葉市や川口市では既にチャイナ団地が形成されて、地元住民との軋轢が大問題となつてゐる。無思慮な門戸解放により我が国の文化が破壊される可能性は極めて高い。最大の「希望的観測」は「多民族・多文化共生社会」といふ美辞麗句である。「日中友好」の美名の下に我が国がどのくらゐ損をして地団駄を踏んで来たか、その現実を見れば右の憂ひが杞憂であるはずが無い。

今回の改正に反対する青山繁晴氏らの尽力により施行二年後に見直しが決定されたのはまだしもであつたが、安倍政権のここ数年の定見の無さにはやはり驚かざるを得ない。(以上についてご関心の向きは西尾幹二編著『中国人国家ニッポンの誕生』ビジネス社、佐々木類著『静かなる日本侵略』ハート出版、などを読まれたい。)

一方、加憲もまた改悪である。リベラル左翼が「自衛隊は違憲」と言ふのは、自衛隊が憲法に記載されてゐないからではない。九条の所謂第二項との矛盾を批判してゐるのだから、第二項を削除しないのなら無意味どころか却つて自衛隊を「矛盾の存在」として固定してしまふから、筆者は「改悪」と言ふのだ。真の改憲のために安倍政権や自民党は九条制定の経緯を国民に知らせるべきなのだが、さういふ努力を全くしない。移民受け入れについても、労働意欲のある日本人の就労を促進する方策を追求せずに外国人労働者に頼らうとする。加憲論と同じ構造ではないか。やるべきことをやらずに、短兵急に事を運ぶ。

安倍政権はどうかしてゐると言ふ所以である。

【追記】

平成三十一（二〇一九）年四月一日に「入国管理局」改め「出入国管理庁」が設置された。そこのホームページには、「外国人材の受け入れ・共生のための総合的対応策（概要）」といふ題の頁がある。そして冒頭には、「我が国に在留する外国人は近年増加（264万人）、我が国で働く外国人も急増（128万人）、新たな在留資格を創設⇩外国人材の適正・円滑な受け入れの促進に向けた取組とともに、外国人との共生社会の実現に向けた環境整備を推進する」とあり、そのための予算が二百十一億円と明記され、以下何十といふ努力目標の項目が並んでゐる。それらを読むと、商人が顧客にへりくだり、色々とお世話しますから是非とも御出で下さいと言つてゐるやうだ。こんなふうで「管理」が出来るのか非常に疑問であるが、近いうちに答へは出るであらう。

他にも我々日本人が警戒しなければならないことがある。「日本への侵略」とも言へる「国土」の買収である。日本中至る所で行はれてゐるさうだ。「外国人の土地所収に対し防衛策を講じる国は多い。特にアジア諸国には規制があり、日本以外のほぼすべての国が外国人に対して規制を設けている」（平野秀樹『日本、買います――消えていく日本の国土』新潮社）。因みに、北京にある日本大使館の土地は中国のものだが、東京の中国大使館の土地は中国のものである。慄然とする話ではないか。

右に引用した『失敗の本質——日本軍の組織論的研究』についての記事が『産経新聞』（令和二年九月十七日）に出てゐた。記事を執筆した磨井慎吾記者によれば、この書が平成三年に中公文庫に入つて以来、七十五万部を超えるロングセラーであり、今でも毎年のやうに一万部の増刷がかかるとのことで、武漢コロナ禍が発生して以降は、三月から二度に亙り計二万五千部を増刷したといふから驚きである。多くの同胞が、現代日本の組織にも旧日本軍と同じ弱点があるのかも知れないとの危惧を持つてゐるのだらうか。

小池百合子東京都知事の愛読書とも聞いてゐるが、詳細な「失敗」の分析はともかく、結語が「日本的企業組織も、新たな環境変化に対応するために、自己革新を創造できるかどうかが問われている」といふのでは、読んでもさほどの役には立ちさうにないやうな気がする。それとも、安易な処方箋が書かれてゐないところが良書の証拠といふものなのだらうか。

［追記］の［追記］

右の平野秀樹氏（姫路大学特任教授）の論文「外資の土地取得規制阻む『力』とは」（『正論』令和三年一月号）には非常に驚愕させられた。令和二年十月時点で、中国系資本が関与した疑ひのある安全保障上重要な土地の買収件数が全国で約八十カ所、同じく中国系資本が太陽光発電事業者として関与したと見られる土地が全国に約一千七百カ所もあるのだ。これは政府と国会の無為無策の結果であるが、この問題の「一番の要因は、日本国憲法に行きつく」と言ふ。即ち、憲法第二十九条が問題なのだ。「財産権は、これを侵してはならない」と書いてあるだけで主語が無いのである（因みに、帝国憲法には「日本臣民ハ…」と明記されてゐた）。

そして、もつと驚愕させられたのは、規制を阻む「見えざる力」があるといふ件（くだり）である。読者が熟読するのを願つて、重要な個所を全文引用する。

「『国土を守る』『侵略には断固抗議する』――。こうした言葉を口にする議員もいるが、実際の立法に向けて動けないまま、ほどなく閣僚や与党幹部として政権側に納まっていく。目立った行動は重職に登用される時までで、その後はほどなく慎重派、親中（韓）派に転向していく。／ここ数年を振り返ると、断片的ながら一つの流れがあることに気づく。本格的に本テーマ〔外資による土地取得〕にかかる規制の動きを始めようとすると、タイミングよく関係議員のゴシップ記事が流れたり、政府人事で重用されたりして、検討作業そのものが骨抜きにされる。ブレーキ役が中枢部やその後ろに存在するのか、当初は気概のあった議員たちもマイルドになっていくのである」。

かうして見ると、右の状況が靖国参拝問題や領土問題にも通底してゐることが分かる。八月十五日の靖國参拝を主張しながら、首相になると参拝を止めてしまつた議員は安倍前首相だけではないし、日本会議国会議員懇談会の幹事長を務めてゐて、選挙の度に支援を受けてゐる衛藤晟一参議院議員は領土問題担当大臣になつた後の最初の「竹島の日」（二月二十二日）に、どのやうな訳かは知らぬが、自らは赴かずに内閣府大臣政務官を派遣したことなどが思ひ浮かぶのである。

こんなことで我が国を守ることができるのだらうか。平野教授は「この国の帰趨は見えはじめている」として、行き着く先は「大量移民と地方自治の崩壊、主権の喪失（租界・租借地化）、言語や文化の置換、そして日本色の希薄化、消滅――」であると書いてゐる。戦慄するほかは無い警告である。

平野教授の文章を読んで、外資買収の規制を本格的に始動させないと取り返しのつかないことになると思つてゐたところ、令和二年十月に自民党の「新秩序創造戦略本部」が漸く動き出し、「経済安全保障」戦略の策定と強化を政府に提言した。主要な項目としては十六項目あり、そのうちの一つが「土地取引」に関するものである。一刻も早い策定を願はずにはゐられない。

報道によれば、令和二年十二月二十四日に、「国土利用の実態把握等に関する有識者会議」（座長は森田朗津田塾大学教授）が、自衛隊基地周辺など安全保障上重要な土地について、外国資本による取得の監視を強化するべく新法の制定を求める提言を菅内閣の小此木八郎領土問題担当相に提出したとのことである。今後、政府は今年一月召集の通常国会に関連法案の提出を目指すといふことだ。遅きに失しはしたが、かくなる上は速やかに新法を制定して貰ひたいと思ふ。もはや「待つた無し」である。

第十一回　信頼できるか橘玲氏

平成三十一年三月号

橘玲といふ作家がゐて、かなり読まれてゐるやうだ。『言ってはいけない』（新潮新書）で一昨年度の「新書大賞」を受賞してゐる。読んで見ると大層勉強家であり、確かに魅力があると思ふ。特に良いところは、本人も言つてゐるやうに、「証拠（エビデンス）」を示すところである。新書でも注を付け参考文献をしつかりと付してゐる。そのあたりが、思ひ付きを何やら理論めかして書く内田樹氏と違ふところであらう。洞察力もあるやうに思ふ。

安倍首相の最近の「リベラル化」の理由が小欄にはさつぱり分からなかつたが、橘氏によれば、「競合する有力な保守勢力が存在せず、これ以上『右』にウイングを伸ばしても新たな支持層は開拓できないが、『左』側には広大な沃野が拡がっているからだ」さうだ（『朝日ぎらい』朝日新書)。これが「安倍一強」の真の理由であらう(「ただし、左傾が過ぎると保守勢力が見放すこともあり得る」と書かれてゐればさらに良いが)。

また、如何なる困難も本人の努力や親の育児法や大人たちの善意で克服できるといふ考へ方への批判が出版界ではタブーであるのを承知で「遺伝決定論」を展開してゐるところにも知的誠実を感じる。つまり、遺伝は知能、体格、性格、病などとの相関が想像以上に高く、人には如何なる努力も及ばない現実といふものがあるから、努力で何とかなるといふ「イデオロギーはものすごく残酷だ」と指摘してゐるのである(『もっと言ってはいけない』新潮新書)。これも正論ではなからうか。

しかし、「日本人の祖先が中国大陸や朝鮮半島からやってきた」ので『東アジア系』が遺伝的にとてもよく似ている」「弥生人の〈ジェノサイド〉によって縄文人の男は皆殺しにされ、女は犯されて混血が進んだのだ」と言ひ切るのはどうだらうか。

遺伝がすべてではないにせよ、氏の理論では日・中・韓の文化・文明の懸隔が説明できないのではないか。それに、長浜浩明氏の『新版 国民のための日本建国史』(アイバス出版)を読むと、「分子人類学」の発達により、ハプロタイプ(片側染色体の遺伝子構成)の解析が可能になり、日本人と中国・韓国人とは全くの「別民族・別人種」であることが分かつてゐる。また、日本列島で混血が大規模に行はれたとするなら、どうして日本語と朝鮮語は似ても似つかないのか。民族混淆があれば英語と独語のやうに相互影響があるはずなのだ。

さらにまた、「認知心理学では、政治的にリベラルなひとは保守的なひとに比べて知能が高いことが繰り返し確認されている」とは驚きである。一体どこの国の話か知らないが、およそ心理学は発展途上の学問なのだから、これにあまり寄りかかるのは危険である。

【追記】

長浜氏は右の本の刊行から二年ほどして改訂・改題を施した上で『日本の誕生』（WAC）を刊行してゐる。これらの本の主張はこれまでの教科書的常識や司馬遼太郎の古代史観や橋氏の説を粉砕するものである。即ち、「旧石器時代に韓半島からヒトは来なかった」に始まり、「日本人の主たる祖先は縄文時代から日本に住み続けた人々である」「縄文時代を通じて、人々は日本から無主の韓半島へ家族で移住し、海峡を挟んで日本との間を往来していたことを半島の縄文土器や人骨が裏付けていた」などである。

氏は自説を展開しながら、多くの考古学者、古代史専門家、評論家たちの固有名詞を出してその説を批判してゐる。これは公正な態度だと思ふし、『日本の誕生』の「終章」の最後に「反論を期待しています」とも書いてゐる。反論は寄せられたのだらうか。

第十二回　問題は九条だけに非ず

平成三十一年四月号

『産経新聞』（三月二日）によれば、京大入試の二次試験の問題に、北方領土や竹島と同様に尖閣諸島にも「領有権をめぐる争いが存在する」と書かれてゐたらしい。政府の基本見解や学習指導要領と異なるので問題となつてゐるとのこと。しかし、一番大きな問題は、事実を無視した政府の「領有権問題は存在しない」といふ基本見解の方である。隣の暴力団が宅地を侵食して来た時、登記簿が手許にあるからと、「我が家に宅地所有権問題は存在しない」などと暢気に構へる人間はゐまい。出題者は正しい。昭和四十六年以来、尖閣諸島の「領有権の争い」は存在するからだ。

政府は領海侵犯されると、決まつて「遺憾」を繰り返すが、この言葉には怒気や気概が全く感じられないから訴求力を欠く。

我が国はいつまでこんなことを続けてゆくのだらうか。慰安婦問題にせよ戦時労働者（徴用工）問題にせよ、常に及び腰で「大人の対応」とやらをしてゐるから舐められるのである。とは言つても、頼みの綱の自衛隊法も実は及び腰である。「防衛出動」を規定した七十六条にはかうある。内閣総理大臣は、武力攻撃発生またはその危険の切迫に際して「我が国を防衛するため必要があると認める場合には」自衛隊の出動を命ずることができる、と。この及び腰の留保がどのやうな経緯で挿入されたのか想像もできないが、笑止である。憲法の「平和主義」の病巣はかくまで深いところに浸潤してゐる。安全保障関連法案の無惨も言ふまでもない。あれでは国を守れぬし、在外邦人の救出も不可能だ（［追記］参照）。

歴代自民党政府は自衛隊を「必要最低限の実力組織（the minimum level of armed force)」であると詭弁を弄して来た。armed force は「武力」または「戦力」であり、「実力組織」は意図的な誤訳もしくは造語であらう（［追記］参照）。それに何より、横綱が幕下相手に「必要最低限の」技量で勝つことはあり得るが、戦争ともなればそんな悠長なことは言つてはゐられないし、そもそも「必要最低限」を誰がどう決めるのか。こんな愚昧な答弁が受容されて来た国はまともとは言ひ難く、これをダラダラと容認して来た我々国民にも責任があらう。

我が国軍の哨戒機が火器管制レーダーを照射されても駐韓大使を召還することさへせず、また、あちこちの慰安婦像を撤去させることもできず、どうして北朝鮮に対して「毅然とした態度」なんぞ取れる道理があらうか。

かやうに卑屈な精神状態のままで憲法に自衛隊を明記したところで、微々たる成果しか生まないだらう。そもそも「前文」からして憲法の文章ではない。あれは詫び証文なのだ。ＷＧＩＰを一つの淵源とする問題の根は嘆息したくなるほど深いのである。

〔追記〕

the minimum level of armed force を「必要最低限の実力組織」と意図的に誤訳した、と書いたが、本当は逆で、曖昧な「実力組織」といふ語を英語に訳す段になつて、armed force とせざるを得なくなつたといふことではないか。

英語の「実力」には ability 他、様々な言葉が用ゐられ、何にでも使へる「実力」といふ語はない。例を挙げる。手許の『和英辞典』（講談社）によれば、「試験で実力を発揮する」「彼の実力を判定するのは難しい」「彼は実力のある才人だ」「彼は実力のある先生だ」「彼の数学の実力はたいしたものだ」「君は英語の実力を身に付けなければならない」等々、これらすべての「実力」にそれぞれ別の単語が使はれてゐるのである（二番目の選択肢として ability を使へるものもあるやうに思ふが）。ともあれ、英語に訳すには文脈に即した用語を選ばねばならないので、armed force としたのだと思ふ。

平成二十七年、「平和安全保障関連法案」の制定前後は、野党や左翼のインテリ及び学生たちの反対で国会議事堂前が大騒ぎとなつたことは記憶に新しいが、法案の目玉の一つである「武力使用の新三要件」を読者は実際にご存じだらうか。念のために引用する。

（1）我が国に対する武力攻撃が発生したこと、又は我が国と密接な関係にある他国に対する武力攻撃が発生し、これにより我が国の存立が脅かされ、国民の生命、自由及び幸福追求の権利が根底から覆される明白な危険があること。

（2）これを排除し、我が国の存立を全うし、国民を守るために他に適当な手段がないこと。

（3）必要最小限度の実力行使にとどまるべきこと。

私が傍点を付けた個所をもう一度読んで欲しい。本来不必要な「制限」や「留保」を付けてゐることが分からうといふものだ。

もう一つ、「在外邦人等の保護措置」を引用する。

「【実施要件】以下のすべてを満たす場合」と最初に断り書きがあり、以下の言葉が続く。

①保護措置を行う場所において、当該外国の権威ある当局が現に公共の安全と秩序の維持に当たっており、かつ、戦闘行為が行われることがないと認められること。

②自衛隊が当該保護措置を行うことについて、当該外国等の同意があること。

③予想される危険に対して当該保護措置をできる限り円滑かつ安全に行ふための部隊等と当該外国の権限ある当局との間の連携及び協力が確保されると見込まれること。

もはや説明は不要ではないかと思ふ。これらを読みながら、読者が思はず吹き出し、やがて慄然とすることを私は望んでゐる。そして、あの騒ぎの時、「安全保障関連法案に反対する学者の会」に賛同署名した大学人がもしも縁あつてこの拙文を読んだとしたら、法案を読まずに署名したことを恥ぢ、左翼の権謀術策に乗せられた我が身の不明を誠実に反省して貰ひたい。尚、この「学者の会」については百一頁以下も参照されたい。

第十三回　スマホ許可の議論の前に

令和元年五月号

スマートフォンの小中学校への持ち込み禁止を文科省が見直すことにした。「災害時の連絡手段」といふ必要論に押し切られたやうである。

しかし、災害時にスマホは本当に必要なのか。先年の東日本大震災でも、地震発生直後から暫くの間は全く繋がらなかつた。そしてさらに考へねばならないことは、生徒たちが個別に家族などと連絡を取り始めたら収拾が付かなくなり、連絡より必要な「統率」が取れなくなつてしまふ可能性が高い。津波の危険が迫つたなら、何を置いても、少しでも早く海から遠く高いところへと逃げ込むこと、これを我々は学んだはずだ。

それはともかく、スマホに関して一層本質的な問題があることを教員や親は知つてゐるのだらうか。スマホ等に時間を費やすとその分だけ勉強時間が減るので成績が伸びないと普通は考へられてゐよう。ところが、「脳トレ」開発者でゲームやスマホと学力の関係を研究してゐる川島隆太東北大学教授が監修した『やってはいけない脳の習慣』(横田晋務著、青春新書)によれば、学習効果を台無しにする「スマホ脳」といふものがあるのだ。つまり、二時間学習してもその後二時間ゲームやスマホをいぢれば「前頭葉の活動低下」となり、学習効果が「消えてなくなる」とのこと。順序を逆にしても同じことである。同書で披露された小中高生七万人分のデータには戦慄せざるを得ない。自分の子供にゲームは与へなかつた厳父の川島氏も「スマホを与えたことを大いに後悔しました」と書いてゐるほどなのだ。

かういふ問題についてこそマスコミが大々的に警鐘を鳴らすべきなのである。厚労省のデータ管理が杜撰でも国は亡びないが、これを放置すれば内部から亡びるかも知れないのだ。だが、数年前、川島氏を熱心に取材した大手新聞記者が「必ず記事にして多くの親たちに知らせます」と意気込んで帰社したが、数日後涙ながらに「載せられない」と言つて来たと、川島氏が週刊誌に書いてゐたと記憶する。記者の上司が大手広告主の顔色を窺つた結果なのだらう。

ともあれ、最も脳を鍛へ育てるべき成長期にある小中高生がスマホやゲームで自ら脳を破壊してゐると知れば、多くの親たちは再考するのではなからうか。資源無き我が国は人材がすべてである。動物と人間とを分け隔てる前頭葉を守るべく、そして一人でも多くの「スマホ脳」を減らすべく、柴山昌彦文科大臣あたりには右の情報を流して国民に注意を喚起して欲しいと心の底から思ふ。

ヨーロッパに「地獄への道は善意で舗装されている」といふ古い箴言があるが、この「善意で」を「スマホで」と言ひ換へられる日が来ないやうにしたいものだ。

［追記］

スマートフォンの問題についてはその後、右の川島隆太教授が新たに『スマホが学力を破壊する』（集英社新書）といふ警世の書を世に問ふたのを機に、『Hanada』令和二年二月号に「スマホが子供の脳を破壊する！」といふ論文を寄稿してゐる。この論文でも「低学年への影響は深刻」「麻薬レベルの毒性」といつたことがデータに基づいて指摘されてゐるので、子を持つ親の必読書であらう。

また、氏がスマホの毒性について論文を書き、記者会見も開いたのに、マスメディアには「見事に情報封鎖」をされたと指摘。「子供たちの未来よりもお金を優先する、資本主義社会の成れの果てを見たような気がしました」とも書いてゐる。現代社会の病弊への鋭い告発である。氏の怒りと失望は当然と言へよう。しかしながら、資本主義自体に問題がある訳でないことは理解しておきたい。

フランスの哲学者アンドレ＝コント・スポンヴィルは『資本主義に徳(モラル)はあるか』で資本主義についてこんなふうに論じてゐる（小須田健＋C・カンタン訳、紀伊國屋書店）。

第一の秩序（経済‐技術‐科学的秩序）は自己制限（抑制）できないので、外側から第二の秩序（法‐政治的秩序）によつて制限を設けられる必要がある。しかし第二の秩序もまた自己制限はできない。従つてこれも外側から第三の秩序（道徳の秩序）によつて制限される必要があり、これは第四の秩序（倫理‐愛の秩序）によつて補完される、と。つまり、資本主義は第一の秩序と第二の秩序により成立しており、それぞれの秩序は内的に構造化されてゐるから、本来、道徳とは無縁のものである。従つて、「資本主義が道徳的であると主張すること、ましてや資本主義がそのようなものであるのを望むことは、（略）ありえないことであると私には思われます」と言ふのである。悲観的ではあるが、真実であらう。

さうであるならば、我々にできることは――川島教授がさう言つてゐるといふ意味ではないが――資本主義を否定したり呪つたりすることではない。「資本主義は――その欠点にもかかわらず、そしてときにはその欠点のおかげで――、全体的に見るなら集産主義〔＝共産主義―引用者注〕にたいして勝利を収めてきたのです」とスポンヴィルは書いてゐる。だから、否定するのでなく、資本主義にも当然欠点があることを認めた上で、第三、第四の秩序を我々自身が動員させることが大事といふことにならう。

尚、私の願ひも空しく、令和二年六月二十四日、文科省が中学校へのスマホ持ち込みを認める素案を示した。この段階では全国でおよそ九十八％以上が原則的に禁止、つまり、特殊な例外は認めてゐるのだから、それで良いのではないか。しかし、文科省がさうした素案を示したことで、今後必要以上に混乱を招くであらう。

翌日の『産経新聞』によれば、元公立中教諭で、東京学芸大学元特命教授今井文男氏は「登下校中の短い時間に何かが起きるリスクと、子供たちの生活秩序が乱れるリスクを天秤にかけたとき、後者の方が明らかに深刻。盗撮画像の流出などは取り返しがつかない」と言つてゐる。正論である。

川島隆太氏以外でも、我が国で最初に「ネット依存症の外来」を開設した樋口進氏（久里浜医療センター院長）は特にオンラインゲームに警鐘を鳴らしてゐる。（「スマホ『ネット依存症』

で壊れゆく子どもたち」『週刊新潮』令和二年十月二十九日号)。

勿論、出発点はスマホの入手である。樋口院長によれば、オフラインのゲームには終はりがあるが、「オンラインゲームは自分自身をアップデートできるし、競争があり、仲間もいるので、果てしなくゲームが続きます。課金も底なし沼のように増えていく」とのこと。これは「ギャンブル依存症」と似てはゐるが、もつと大きな問題を抱へてゐるのである。

ゲーム依存症になると「脳の体積にも影響が出る」とのことだ。従つて、必要なのは「予防」なのだが、我が国ではまだ十分な議論さへされてゐない。しかし、韓国では「夜間シャットダウン制度」が法制化され、十六歳未満の子供は午前零時から翌朝六時までゲームに繋げないやうにしてゐるのである。保護者がゲームの配給先に、特定の時間帯にアクセスできないやうに依頼する「選択的シャットダウン制度」もあるさうだ。さすがはパチンコを全廃した国である(若宮健『なぜ韓国は、パチンコを全廃できたのか』祥伝社新書)。樋口氏は「日本ではなかなかそこまではできません」と言ふが、親に任せるのではなく、国として法制化することが必要なところにまで来てゐるのではなからうか。あの国に出来て、我が国に出来ないことは無いと思ひたい。

[追記]の[追記]
令和二年十一月にスウェーデンの精神科医アンデシュ・ハンセン著『スマホ脳』が出版され

た（久山葉子訳、新潮新書）。半月で二刷となつてゐるから、かなり売れてゐるやうだ（一月十五日の新聞広告では「十七万部突破」とあつた）。「スマホ漬け」の子供たちがどうなるかといふことに親や教師が関心を持つやうになつた証であると思ひたい。この本の第三章の題名は「スマホは私たちの最新のドラッグである」であり、アップル社創業者スティーブ・ジョブズの「うちでは、子供たちがデジタル機器を使う時間を制限している」といふ言葉も引用されてゐる。毎日多くの時間をスマホに費やしてゐるといふ自覚のある若者にも一読を勧めたい。

第十四回「戦争」が禁句となつた国には

令和元年六月号

丸山穂高代議士の「戦争」発言は巧まずして、我が国ではもはや「戦争」といふ言葉を口にしただけで「人間失格」と見做されかねないことを浮き彫りにした。

その後の報道では、丸山氏の酒癖の悪さや現地での醜態なども明らかになり（本人は否定してゐるやうだが）、氏が「戦争」といふ語を熟慮の上で使つたかは非常に疑問だが、氏の政治生命を葬るやうな問題発言ではないと思ふ。

これに関して、愚劣なマスメディアなんぞ論評の限りではないが、『産経新聞』（正論欄、五月十七日）における元海将で金沢工業大学虎ノ門大学院教授の伊藤俊幸氏の所論にも小欄は同意できない。「あきれてものが言えない」「『言論の自由』を主張する内容ではない」とまで伊藤氏は書いてゐるのだが、本当にさうだらうか。

氏は言ふ。「『平和を守る』とは、戦争しない状態を守り続ける『抑止力』として機能するといふことだ。そしてその抑止が崩れた場合『独立を守る』ため攻撃をしてくる敵を公海或いはその上空で排除する『対処力』として機能する〔のが自衛隊である〕」と。しかし、これは今後の戦争については言へるものの、北方領土の場合は既に「侵略」が行はれてゐるのだから、我が国は独立を守り得てをらず、「抑止が崩れ」てゐることを意味してゐないだらうか（勿論、ヤルタ会談の密約により、昭和二十年八月にソ連が千島列島に侵攻し、その時にはまだ自衛隊は存在してゐなかつたにしても）。平成十八年には歯舞諸島貝殻島付近で日本の漁船がロシアの警備艇に銃撃され、若い船員が一人亡くなる事件もあつた。日露はまだ平和条約を締結してゐない。

所謂「平和的解決」を目指しての「ビザ無し交流」は平成四年から行はれてゐるが、領土問題は一向に進展しない。日本側が予算を出して行ふ行事にロシア側島民が喜んで参加しても、それは深い「友好」の賜ではない。

このやうな現実に業を煮やし、本気で領土を奪還しようと思ふ時、「戦争しないとどうしやうもなくないですか」といふ言葉は一つの悲痛な問ひとして「ありえない」ものではない。無論、戦争は最後の最後の手段であり、さう簡単に起こせるものでも、起こすべきものでもない。しかも相手はロシアだ。氏もすぐにでも武力に訴へようと主張した訳ではなく、どう考へるかと訪問団団長に質問を呈しただけではないか。

一九八二年、イギリスは本土から遠く、しかも小さなフォークランド諸島のために軍隊を派遣してアルゼンチン軍と戦ひ、約一千名の死傷者を出しつつも諸島を奪還したのではなかつたか。国連の仲介は何の役にも立たなかつた。

「力で奪はれたものは力で取り返す」といふ言葉さへ禁じられる国には、北方領土も竹島も拉致被害者も永久に取り戻すことができないのではなからうか。

［追記］

右の本質的言辞が丸山代議士の口から出たことは非常に残念であつた。もつと人望のある代議士から出てゐたなら、「酔払ひの戯言」といふ扱ひは受けなかつたであらうからである。

この件で作家の豊田有恒氏は、丸山代議士のことを「単に知性に欠ける馬鹿」とした上で、ロシアは「現在は衰えたとは言え、日本人を皆殺しにできる巨大な核戦力を保持したままだ。そのロシアに対して、どこをどう押せば、戦争などという発想が出てくるのか、常識では考えられない。小学生なみの知性なのだらう」と書いてゐる（『東大出てもバカはバカ』飛鳥新社）。

しかし、本篇にも書いたやうに、丸山代議士は「今すぐに戦争をやるべき」と言つたのではないのだから、「小学生なみの知性」は少し酷である。それに、本当に豊田氏の言ふ通りであるなら、氏は、「ビザ無し交流」など姑息なことはせずに、日本は返還（本当は奪還と言ふべき）をきつぱり諦めねばならないと言はなくてはならない。ロシアは返して寄越すつもりは毛頭なく、「生かさず殺さず」ではないが、四島を「返さず、閉じず」で経済協力といふ餌を日本に与へながら、このまま何年でも現状維持で良いと考へてゐるに違ひないからである。そしてその間に着々と択捉島にミサイルを配備してゆくつもりなのだ。実際、令和二年十二月には地対空ミサイルの配備を完了した。

カメラマンの山本皓一氏の著書『日本人が行けない「日本領土」』（小学館）に一見して忘れられない写真が載つてゐる。それは、軍服を着て自動小銃を構へたソ連兵が一人、鋭い眼光でこちらを睨んでゐる絵が描かれた横に、「島はうばわれた」と大書された根室市内の路肩のポスターである。これこそが真実であるのだが、さういふことを隠蔽した上での「ビザ無し交流」（年間予算約二十億円）なんぞ所詮猿芝居であらうし、こんなに長く続いてゐるのは、これにより利益を得る人間がゐるからに相違ない。

五年前にこの「ビザ無し交流」を取材した『産経新聞』の小野晋史記者は、「北方領土問題対策協議会の関係者」から「領土問題に関することは持ち出さないでほしい」と注意された事実を指摘し、一方で、住民との意見交換会で積極的に発言してゐた人物を取材すると、この男性は住民ではなく「サハリン州から派遣された役人」であることをあつさり認めたと書いてゐる。驚くべき茶番である。「ロシアは日本側の〈配慮〉に乗じて、実効支配をさらに固めようとしている」といふ小野記者の観察は正しいであらう（「産経ニュース」平成二十八年八月九日）。

やはり、力で奪はれたものは力で取り返すしかない、といふ覚悟がなければ、残念だが、北方領土や竹島を取り戻すことはできないし、尖閣問題や拉致問題も進展しないであらう。

第十五回 「君が代」斉唱に屁理屈は無用なり

令和元年七月号

必ずしも典型的な「左翼リベラル」ではないインテリにとつても、今なほ国歌斉唱はある種のアレルゲンらしいから不思議な話だ。

東大の法哲学者井上達夫教授は石川健治同教授などより余程まともである。所謂「護憲派」の議論を「お仲間トーク」とし、彼らには「安倍政権の姿勢を批判する論理的および倫理的資格はない」と切り捨ててゐる（『リベラルのことは嫌いでも、リベラリズムは嫌いにならないでください』毎日新聞出版)。

だが、「憲法の役割」を「政権交代が起こり得るような民主的体制」「フェアな政治的競争のルール」「自分で自分を守れないような被差別少数者の人権保障」などを守らせるためのルール作りだと言ふのは首を傾げざるを得ない。あまりに簡素過ぎないか。

そしてさらに問題なのは、学校での国歌斉唱についての言ひ分だ。先づ、「愛国心を強制していいのか」と見当違ひなことを言ふ。それでは、学校での校歌斉唱は「愛校心を強制」してゐるとでも言ふのだらうか。妄言である。そして、「君が代の伴奏を拒否する教師とかは、(略)制裁をちらつかせ強制することに反対している」とも言ふ。ならば、「国旗・国歌法」によつて義務づけられる前からそのやうなことが行はれてゐた事実はどうなるのか。国歌を歌ひたい生徒や親の権利はどうでも良いのか。強制への反旗といふのは後付けの理屈なのだ。「愛国心の強制に反対することは、愛国心に反対することではない」などと言ふのは日教組の政治的現実が見えてゐない証拠であり、東大法学部の得意な空理空論だ。

一方、横浜国大の室井尚教授の『文系学部解体』(角川新書)もをかしい。文科省の「文系学部・学科の縮小要請」についての批判的レポートで、所論には教へられるところが多かつた。しかし、国旗国歌の問題となると、論理が急に乱れるのである。氏は「国旗・国歌法」が制定される平成十一年以前は「法的には国旗でも国歌でもなかった」と当り前のことを強調し、「法制化している国はむしろ少ない」とするが、どうしてこの法律が作られねばならなかつたかについての考察はしない。また、他の国の国歌なんぞ誰も知らないのだから、文科省が国立大学に斉唱を要請する理由は何なのかといふ問ひはそれ自体が馬鹿げてをり、国歌をしばしば変更する国もあるといふ指摘も、それだけでは何の意味もない。しかも、別のところでは、「大学の受益者とは学生たちではなく、国や社会といった共同体そのもの」であると、まともなことも言ふのだから訳が分からない。

大昔はいざ知らず国家は政治的にも文化的にも共同体なのだから、国旗もあれば国歌もある。君が代を斉唱することで同じ国民として共同体意識を感受したり涵養したりすることのどこが悪いのか。歌ふのが嫌なら口を閉ぢてをれば良い。屁理屈は無用である。

［追記］

我が国の歴史や皇室制度に詳しい所功氏（現・モラロジー研究所教授）の『国旗・国家と日本の教育』（モラロジー研究所）の中にかうある。「日本国が今後さらに堅実な繁栄を続け、政治的にも文化的にも分相応の国際貢献を果たして、諸外国から本当に信頼され敬愛されるようになることは、まさに二十一世紀の大きな課題である。／そうであればなおさらのこと、私どもは『教育基本法』のいう『国家および社会の形成者』である『国民の育成』、つまり〈公教育〉に一段と力を注がねばなりません。そして、この〈公教育〉で最も重んずべきものは、どの国においても大切にしている国旗・国歌であり、それを通じて自国の国柄（国家的特性）への自覚と自信を育成することではないかと思われます」。

私はこれに付け加へるべき言葉を知らない。

ところで、以前、井上達夫氏をテレビの討論番組で一度見たことがあるが、恐ろしく早口で難解な言葉を喋るし、早過ぎて聞き取れない個所も多かつた。あまり一緒に議論したくない人物である。氏はしかし、九条削除論を唱へてゐると聞いて、憲法や法律の素人である私には何か参考になることもあらうかと思ひ、右に引いたふざけた書名の本を手に取つた訳である。

だが、氏の九条削除論は「安全保障の問題は、通常の政策として、民主的プロセスのなかで討議されるべきだと考える。ある特定の安全保障観を憲法に固定するべきではない、と。だから『削除』と言っている」とのことで、私の考へとはまるで異なり、そこから本篇に引いたような「憲法の役割」云々と続くのである。しかし、「通常の政策として、民主的プロセスのなかで討議されるべき」と言ふが、安全保障は極めて重要な事案なのだから、討議だけが重要ではなく、その結果をどこかに書き込まざるを得まい。「自分の考える正しい政策を、憲法にまぎれ込ませて、民主的討議で容易に変えられないようにするのは、アンフェアだ」とは言ひ掛かりではないか。憲法審査会や国会で討議し、国民投票にかけるといふ決まりなのだから「アンフェア」ではなからう。これでは、文句ばかり言ふ立憲民主党の議員と選ぶところは無い。

「集団的安全保障」についても、それの「行使は、私は基本的に反対なんですね」と言ふ。先づ言へることは、氏がいくら「反対」しても、「基地提供や資金援助は、〔既にして〕集団的自衛権の行使」（倉山満『倉山満の憲法九条』ハート出版）であらう。また、井上氏は「集団的安全保障」と「集団的安全保障体制」とは別物であるとして、前者は「敵・味方の線がアプリオリに引かれている」から「非常にあぶない」とする。後者は「敵・味方の区別をアプリオリにしないで、どの国もほかから侵略されたら国際社会が一致協力して守るというのがいい」と言ふ。国連の安全保障理事会が一致協力し得るのかといふ疑問は氏にも浮かんでゐるやうだが、結語が「『たかが国連、されど国連』で、国連改革を地道にやっていくほうがいい、と思っています」は無いだらう。未だに日本を「敵国」扱ひして差別してゐる国連を日本が「改革」できると思ふ根拠は何なのか。露・中・韓・北朝鮮も加盟国なのだ。古森義久氏の『国連幻想』（産経新聞社）の一読を井上氏に勧めておく。

さらにまた、氏は日米安全保障条約により日本が「防衛利益」を享受しながら、その正当性を認めない「原理主義的護憲派」（「自衛隊と安保は違憲」とする立場）を、「これは右とか左とかに関係なく、許されない欺瞞です」と批判してゐるが、自身の言葉は欺瞞ではないのだらうか。

「基本的に反対」なのだから。

因みに、氏の本の奥付には「05〜14年、日本学術会議会員」と書かれてゐる。髭を蓄へ、一見すると豪放磊落さうだが、実は権威主義的な人物と見た。今となつては削除したいと思つてゐるに違ひない。

令和元年九月号

第十六回　安倍首相の式辞を批判する

先月の戦没者追悼式において、安倍首相は例年の如く、「戦争の惨禍を、二度と繰り返さない。この誓ひは（略）決して変はることはありません」と述べた。

先の戦争が「惨禍」を招き、それを「二度と繰り返さない」と言つてしまふと、その戦争は「悪」だつたことになり、如何なる戦争にも「惨禍」は付き物ゆゑ、今後は侵略されても白旗を上げて戦闘行為は行はないと誓ふ、といふ意味になる。これでは「不戦の誓ひ」であつて、恐ろしいまでの英霊に対する冒瀆である。

追悼とは「死者を偲び、悼み悲しむこと」である。内地外地を問はず戦没者を我々はひたすらに悼み悲しめば良いのではないか。慰霊の際に戦争の意義付けなんぞ不要である。

もしも意義付けをするならば、マッカーサーでさへ「自存自衛の戦争だつた」と後に認めた積極的意義を述べるべきである。平和主義を持ち出されたら英霊は決して浮かばれない。

「南海にたとへこの身ハ果つるとも幾年後の春を想へば」(永峯肇海軍曹長)、「若櫻南海の地に散りゆくも護りまつらん皇國を」(松川文雄陸軍軍医)。例へばこのやうな辞世の声を安倍首相は何と聴く。本気で追悼するなら、この種の声を今に伝へねば何の意味もない。それとも彼らは「軍国主義に騙された犠牲者」だつたとでも言ふのだらうか。

さういふ安倍首相だからか、「今を生きる世代、明日を生きる世代のために、国の未来を切り拓いて参ります」とも言つてゐる。いくら前段で「戦没者の皆様の尊い犠牲」とか「敬意と感謝」とか言つても、これがすべてを台無しにしてゐる。

民俗学者の柳田國男は「死ニ去リタル我々ノ祖先モ国民ナリ其ノ希望モ容レサルヘカラス」と言つてゐる(「農業政策学」『全集』第一巻、筑摩書房)。これはチェスタトンの「死者の民主主義」、オルテガやバークの保守主義と繋がる普遍的なものである。

追悼の場であればこそ、黙して語らぬ英霊や祖先の思ひを我が思ひとして、その「希望」を忖度するべきなのである。表現できぬのなら黙すれば良い。英霊たちの希望が「不戦の誓ひ」であるといふのは空想平和主義者の戯言である。

天皇陛下も「ここに過去を顧み、深い反省の上に立つて、再び戦争の惨禍が繰り返されぬことを切に願ひ」云々と仰せになられた。畏れ多いが、「反省」は少々問題だ。しかし、陛下のお立場と首相のそれとは異なる。もしも戦端が開かれるとすれば、自衛隊の指揮監督権は内閣総理大臣が有するのである。総理たる者は戦はずして負けるやうなことを言ふべきではない。英霊は「次は勝つてくれ」といふ「希望」をお持ちのはずなのだから。

［追記］
安倍首相の歴史観については本書百三十六頁以下でさらに厳しく批判したので参照されたい。参考までに記せば、「死者の民主主義」といふ言葉は、カトリックの思想家にして推理作家としても著名なG・K・チェスタトンが使つたものだ。彼は伝統と民主主義は矛盾せずとして、かう言ふ。「伝統とは、あらゆる階級のうちもっとも陽の目を見ぬ階級、われらが祖先に投票権を与えることを意味するのである。死者の民主主義なのだ。単にたまたま今生きて動いているというだけで、今の人間が投票権を独占するなどということは、生者の傲慢な寡頭政治以外の何物でもない」と（『G・K・チェスタトン著作集①正統とは何か』福田恆存・安西徹雄訳、春秋社）。
「歴史的理性」を重要視したオルテガ・イ・ガセットもまた「歴史的知識は、成熟した文明を維持し継続してゆくための第一級の技術である」とし、「今日われわれの上に重くのしかかってきている十九世紀特有の誤りの大部分は、この歴史的文化の放棄に起因するのである。十九世紀の最後の三十年間に（略）退化というか野蛮への後退、つまり、自分の過去をもたぬかあるいは忘れてしまった者の無邪気さと原始性への後退が始まったのである」と書いた（『大衆の反逆』神吉敬三訳、ちくま学芸文庫）。

さらに、「保守主義の父」とも尊称されるエドマンド・バークもまたかう書いた。「それ〔国家の行う合同事業〕は、すべての科学における合同事業であり、すべての学芸（アート）における合同事業、あらゆる徳、全くの完成における合同事業である。このような合同事業の目的は、多くの世代によっても達成され得ないから、それは、生きている人々だけの間の合同事業ではなく、生きている人々と死んだ人々と生まれて来る人々との間の合同事業である」と（『フランス革命についての省察』水田洋訳、『世界の名著㉞バーク／マルサス』所収、中央公論社。ただし、訳文に平仮名が多く読みにくいので適宜漢字に直した）。

以上のやうな賢哲たちの言葉に照らした時、さらに歴史的経緯を具（つぶさ）に知れば、一方的な謝罪は間違つてゐるし、「祖先」や「死んだ人々」の声に耳を傾けるべきであると知れるのである。

敗戦後すぐの「日本人の精神」については「序に代へて」で少し触れたが、「開戦直後」の声も大事にしたいと私は思つてをり、それに関して興味深い本があるので紹介しておきたい。

それは方丈社編集部による『朝、目覚めると、戦争が始まっていました』（方丈社）といふ本で、五十四名の著名人（作家、詩人、思想家、ジャーナリスト、政治家など）が開戦の報を受けて何を感じたかについての引用集である。

反戦の言動で知られた詩人の金子光晴（当時四十五歳）は「二、三の客を前にしながら、不覚にも慎みを忘れ、『ばかやろう！』と大声でラジオにどなった」と彼らしいことを書き、国際協調派のジャーナリスト清沢洌（同五十一歳）は「僕は自分の責任を感じた。こういう事にならぬように僕達が努力しなかったのが悪かった」と、これまた彼らしい感慨を知人に洩らしてゐる。また、真崎甚三郎（同六十五歳）は軍人らしく、「最初ハ勿論勝利ヲ得タレドモ終局ノ見ヘザルコトガ最大ノ癌ナリ」と冷静に見てゐる。

だが、我々の注意を引くのはかうした見方より、次のやうな開戦を言祝ぐやうな言葉の数々であらう。例へば吉本隆明（同十七歳）は「ものすごく開放感がありました。パーッと天地が開けたほどの開放感でした」と後に語り、井伏鱒二（同四十三歳）は「御詔勅が下つた。／ラヂオでニュースをききながら、みんな万歳を叫んだ」と書いた。そして、後に初代文化庁長官となる今日出海（同三十八歳）の「宣戦の大詔を拝した時は、単調な生活を打ち破って、輝かしい光が突き透った感じだった。だらけた生活に鉄筋の骨が打ち建てられたように思った」といふ言葉、或いは童話作家新見南吉（同二十八歳）の「ばんざあいと駆け出したいやうな衝動も受けた」といふやうな言葉の数々を我々は記憶しておくべきではないか。詩人の室生犀星（同五十二歳）に至つては「十二月八日」といふ題で詩を書いてゐる。「（略）何かをつくり／何かをえがき／自分のよろこびを人に示したい（略）この日何かをつくり／何かをのこしたい／文学の徒の一人としてそれをなし遂げたいのだ」と。

この他にも、黒田三郎、竹内好、火野葦平、坂口安吾、伊藤整、横光利一、斎藤茂吉、亀井勝一郎、保田與重郎など、当時の一流の文学者たちもまた、揃つて「感動」「慟哭」「嬉し涙」「清々しい気持ち」などの言葉を記してゐる。彼らは皆が皆、軍国主義者で、狂気に囚はれてゐたのだらうか。否、これが当時の多くの日本人の「声」だつたのだらうと思ふ。そして、何より、このやうな声を背に受けて将兵たちは出征し、英霊たちは散華したのではなかつたか。負け戦となつたとは言へ、我々は彼らの名誉だけは守らねばならない。

それを御製（ぎょせい）や御歌（みうた）を通して我々に儀表をお示しになつてをられるのが上皇・上皇后両陛下ではなからうか。例へば、平成六年、お二人が天皇・皇后の時代、激戦の地として知られる硫黄島（いわうとう）（平成十九年以降の呼称）に御巡幸になられた時お詠みになつた御製と御歌がある。

精魂を　込め戦ひし　人未（いま）だ
　地下に眠りて　島は悲しき　（御製）

慰霊地は　今安らかに　水をたたふ
　如何(いか)ばかり君ら　水を欲(ほ)りけむ　（御歌）

これらを拝誦してすぐに気づくことは、ここには「精魂を込め」て戦つた将兵たちへの敬意と思ひ遣りと哀悼のお気持ちのみがあり、小賢しい反省とは無縁であるといふことだ。従つて、「死者を偲び、悼み悲しむこと」といふ追悼の完璧な表現になつてゐるのだ。さすがに水準が違ふと思はされる。

尚、特にこの御歌について、竹本忠雄先生が頗(すこぶ)る玄妙なる「読み」を披露してをられるので紹介したいと思ふ。

「御製が一つの静止画を呈するとすれば、御歌によってそれが動画となっていくコントラストの妙が、ここにも見てとれます。皇后さまが手をさしのべる、水をさしだすことによって、《地下に眠りて悲しき》将兵が身を起こし、それを受ける。重要なことは、祈りによって死者が復活するという秘儀がここには詠みこまれているということです。かくてこそ、歌は祈りとなるのです」（『平成の大御代　両陛下永遠の二重唱』勉誠出版。傍点は引用者）。

我々は平和主義に盲ひると、このやうな「祈り」を忘れてしまふのである。

第十七回　伝統文化を論ずるのなら

令和元年十月号

日頃は専ら西暦を使ふマスコミが、御代替りの前後には妙に年号に拘つてゐた。所詮商売なのだらうが、見てゐて気恥づかしさを禁じ得なかつた。

それと同種の気恥づかしさを覚えるのは所謂「保守派」の物書きが現代仮名を用ゐてゐるのを見る時だ。こちらの場合は怒りが少々混じる。

保守派である以上、伝統文化の価値を認めるのは当然だ。しかし、正漢字はともかく、仮名遣の伝統は守るべき価値の中に入らないのか。

管見の限りであるが、今なほ歴史的仮名遣を用ゐてゐるのは（時に発表場所により妥協することがあるにせよ）小堀桂一郎、長谷川三千子、勝岡寛次、小川榮太郎の諸氏、それに本紙常連執筆者の留守晴夫氏、前田嘉則氏などである。江藤淳も西部邁も妙な言ひ訳をしながら現代仮名を用ゐてゐたし、同じく現代仮名を使用してゐる西尾幹二氏は、かつて福田恆存を追悼する文章にかう書いた。「日本の戦後史を知る者は、（略）『私の國語教室』という一冊の本が、国語のあれ以上の崩壊をいかに強力に食い止めたか、忘れることはできまい。／世の知識人の言葉は論壇や文壇に作用することはあっても、現実に作用する力を持たない。たいていの思想は実用性に堪えない。しかし、福田氏は違う。それは国語問題を保守的文学趣味で論じないで、一貫して文法の問題として論じ切った強靭な合理精神のしからしむる処である」と(「福田恆存小論――その一」『現代について』徳間文庫。『全集』第二巻、国書刊行会)。しかし、十年後には福田恆存と自らの間に一線を画さうとしてか「旧仮名遣いの無理」を論つた(『江戸のダイナミズム』第十七章、文藝春秋。『全集』第二十巻、国書刊行会)。だが、知人から歴史的仮名遣の使用を提案されると、「商売にならない!」と宣つたさうだから、やはり「商売」なのか。まあ、正直と言へば正直ではある。

しかし考へてみれば、「福田恆存論」を単行本として上梓した井尻千男、中村保男、浜崎洋介、岡本英敏、川久保剛、土屋道雄、前田嘉則、遠藤浩一、福田逸などの諸氏のうち、正仮名遣ひを墨守したのは土屋氏以下四氏だけである(金子光彦氏も多分さうであるが未見)。現代仮名で以て福田恆存を論ずるのは「仏造つて魂入れず」の類だ。『私の國語教室』の第一章は「現代かなづかいの不合理」ではないか。

それに、抑々戦後の国語・国字改革において、先づ主導的な働きをしたのが日本語のローマ字化推進を含む『アメリカ教育使節団報告書』であり、それが国語審議会「かなづかい主査委員会」の「表音式」といふ考へ方の背景にあつたことを思へば、歴史と伝統を破壊した現行憲法と同様にこれを葬らねばならない。

しかし、保守派のはずの新保祐司氏に至つては、「憲法改正の際には正仮名で書かれるべきで、歴史と伝統に反する仮名遣では駄目だ」（大意）とかつて書いたものの、ずつと現代仮名を使用してゐる。が、歴史や伝統文化の大事を筆にする者は、須く歴史的仮名遣を用ゐるべきであると筆者は考へる。

小林秀雄は「傳統の力が最大となるのは、傳統を回復しようとする僕等の努力と自覺においてである。（略）傳統は、見付け出して信じてはじめて現れるものだ。（略）傳統はこれを日に新たに救ひ出さなければ、ないものなのである。それは努力を要する仕事なのであり、從つて危険や失敗を常に伴つた。これからも常にさうだらう。少なくとも、傳統を、さういふものとして考へてゐる人が、傳統について、本當に考へてゐる人なのである」（「傳統について」『全集』第七巻、新潮社）と書いた。物事は無かつた昔には戻れぬが、あつた昔には戻れるのである。手本はまだまだ、いくらでも目の前にあるのだから。

［追記］

私が歴史的仮名遣を使ふ理由については、前著の「序に代へて」にも書いたが、要するに、歴史的仮名遣こそが、我が国語の正当且つ正統な表記法だと信じてゐるからである。さう信ずるやうになつたのは福田恆存著『増補版　私の國語教室』（新潮文庫。『全集』第四巻、文藝春秋）

に蒙を啓かれたからである。決して懐古趣味や衒学趣味ではない。本当は漢字も正漢字を使ひたいところだが、時に字体の異なる文字を使はざるを得なくなること、そして何より、正漢字に関して完璧を期す自信——この漢字にはこれこれの正漢字があるといふ正確な知識——が私に無いことにより断念せざるを得なかつた。正漢字に比べれば、歴史的仮名遣のはうは遥かに習得が容易である。関心のある向きには、上記の福田の本以外にも、萩野貞樹著『旧かなづかひで書く日本語』(幻冬舎新書)、同『旧かなを楽しむ』(リヨン社)を推薦しておきたい。初心者には後二者のはうが馴染みやすいかも知れない。

若い読者に理解してもらふために、「現代仮名遣い」の不合理について二つだけ例を挙げる。「水が出づる」から「いづみ」と書いたものを、どうしてある時から「いずみ」と書かねばならないのか。聖徳太子は「日出づる処の天子」であつて「日出ずる処の天子」ではない。また、「絆」は糸偏で分かるやうに「綱」のことである。だから昔から「きづな」と書いて来たものを、どうして「きずな」と書く必要があるのか(「横綱」は「よこづな」のままだ)。それゆゑ、「絆を深める」などといふ「語」そのものの意味から離れた奇妙な表現が跋扈することになるのである。「綱」なのだから、「強める」か「太くする」しかないであらう。「現代仮名遣い」の不合理とはこのやうなことである。

尚、昭和六十一年、第十六期国語審議会の答申「改訂現代仮名遣い」を承けて出された同年の内閣告示第一号「現代仮名遣い」には「歴史的仮名遣いが、我が国の歴史や文化に深いかかわりをもつものとして、尊重されるべきことは言うまでもない。また、この〔現代〕仮名遣いにも歴史的仮名遣を受け継いでいるところがあり、この仮名遣いの理解を深める上で、この歴史的仮名遣を知ることは有用である」といふ文言が書かれてゐるし、この文言は未だに廃止されてはゐない。

次に、「江藤淳も西部邁も妙な言ひ訳をしながら」と書いたのはかういふことである。江藤については、福田恆存が書いてゐる。「江藤氏は私が『私の國語教室』を書いた時、現代仮名遣より歴史的假名遣の方が合理的だといふことは分かつてゐるが、自分は現代仮名遣で習つて來たのだから、その事實を抹殺するわけには行かないと言つた。それなら、私は現代仮名遣が施行されるまで、小學校でも歴史的假名遣を教へられた、その過去の事實を抹殺するわけには行かぬはずではないか」と(「問ひ質したき事ども」『全集』第七巻、文藝春秋)。

「歴史的假名遣の方が合理的」であることを認めながら、伝統に適従することを拒否した訳で、GHQの占領政策による「閉ざされた言語空間」を問ふた江藤淳としては首尾一貫してゐないと言はざるを得ない。

一方、西部邁も「保守思想の神髄」「戦後最大の思想家」と福田を持ち上げながら、福田にとつて「旧漢字旧仮名の使用は文化への献身でもあったのだろう。しかし、新体の国語のなかで育ち、いま現在もそれを使用している私はどうなるのか」(『思想史の相貌——近代日本の思想家たち』世界文化社)と甘たれたことを書いてゐる。

「私はどうなるのか」といふ言葉には「自分で決めよ」とでも言ふほかないが、「文化への献身でもあったのだろう」といふ指摘は見当違ひである。T・S・エリオットに倣ひ、「文化とは(略)目的として示し得ぬもの、意識的に追求し得ぬもの」とする福田がそんなことを考へるはずがない。何となれば、「私たち自身の傳統文化とつきあふ方法は、(略)自分をその中に置き、それを自分の中に取り込み、さうして過去を生きること、それしかないといふことであります」「生き方といふものはつねに歴史と習慣のうちにしかない」「私たちの生き方や行爲の基準は必ず過去からやつてくる。現在は基準にはならない」と書いてゐて、これは福田の堅忍不抜の信念だからである(「傳統に対する心構」『全集』第五巻、文藝春秋)。

尚、右の「私はどうなるのか」に続けて西部は、「私自身は、改悪された言語状態のなかでも、文化における言葉の決定的な重要性を自覚する少数者にとどまりたいと念願している」と書いてゐて、実践抜きの傍観者としての立場を採らうといふことらしい。それは勿論西部の自由だが、「旧体の国語」を使用する文筆家の中には、それの使用が「思考、道徳、人格を締め付けている」例と、「思考、道徳、人格がソフトになりすぎている」例があると批判し、「つまり旧体の国語は、文化を守るのに充分な条件でないばかりか、それを使用する際の構え方次第では、精神の硬直あるいは脆弱すらもたらしかねないのだと思う」と書いてゐるのは全く戴けない。それを言ふには、「新体の国語」を用ゐれば、精神は硬直もしなければ脆弱にもならないことを証明しなければならない。「私の思想の師は福田恆存その人」と言ふ割には、福田の思想を理解してゐない。「旧体の国語」は「文化を守る」ための「条件」ではない。それは「文化」そのものなのだ。そして、「文化は理解するものではなく生きるものであり（略）自分をその中に置いて、虚心にそれを生きてみなければ、理解すら出來ないもの」なのである（同前）。

福田はかうも書いてゐる。「明治以來、殊に戰後は『過去』とか『慣習』とかいふ言葉は權威を失つたが、少なくとも言葉に關する限り、これを基準としなければ、他に何も拠り処は無くなつてしまふのである。全く通じさへすればよろしいといふ事になる。が、『通じても相手は心の中で笑つてゐますよ』と言はれ、その嘲笑を避けようとする殊勝な心掛けも、教育も、言語觀も、今は地を拂つてどこにも見出せない。笑ふ奴が古いのであり、頑（かたくな）であり、間違つてゐるとなつたら、國語は亂れるばかりである」と（「日本語は病んでゐないか」『全集』第五巻、文藝春秋）。

晩年に脳梗塞を患つた福田が生前にこの西部邁の文章を読んだのか否かは知らないけれども、読んだとしたら、やはり「心の中で笑つた」のではあるまいか。

尚、『文學の救ひ——福田恆存の言説と行為と』（郁朋社）の著者である前田嘉則氏は『時事評論石川』に執筆する時はいつも歴史的仮名遣で書いてをられるし、私信では正字正仮名を流れるやうな美しい筆跡で綴る方なので右のやうに書いたのだが、その後本書を改めて手にしたところ、福田の文章の引用は正字正仮名であつたが、所謂「地の文」は「現代仮名遣い」であつた。「新聞掲載のために」といふのが理由で、「正漢字については編輯部の御協力で極力應じていただいた」とのことである。以上、訂正します。

第十八回　校長と教育委員会

令和元年十一月号

どの世界にも、程度や様態の違ひはあるものの、苛めは存在するに違ひない。が、神戸の東須磨小の教員四人による同僚への苛めは、辛いカレーを無理に口に押し込まうとするなど、その幼稚性にはただただ呆れるばかりだ。

最近、教員の劣化が激しいなどと言はれるが、それは当該教員だけの責任ではなく、教員を監理するべき校長や教育委員会の責任でもあらう。

大きな問題が生じて校長が記者会見をするのをテレビで見ると、「こんな人物が校長なのか」と驚くことの方が多い。無論、容姿のことではなく、表情や態度、或いは語り口のやうなものに違和感を感じるのである。記者会見が不慣れであることを差し引いても、である。

思ひ出す度に筆者が今なほ激しい怒りを覚える中学教員が二人ゐて、筆者の卒業後二十数年ほどしてから、彼らが揃ひも揃つて校長に成りおほせてゐることを知つて驚愕したことがある。今思へば二人とも病的なサディストで、碌な授業もせずに、暴力と威嚇で教室を支配して楽しんでゐたのだ。

また、筆者の息子が小学六年の時クラス崩壊が起き、崩壊をもたらしたベテランの担任と父兄たちとの話し合ひの場を校長や教頭を交へて設けたことがあつた。その二時間程度の協議の席上、校長は何と二度舟を漕いだのである。教育上の情熱や責任感を微塵も感ずることができなかつた。

当然のことながら、その後も担当教員の不適切な教室運営は改まらず、業を煮やした筆者は県の教育委員会に出向き、対応した幹部に教室の惨状を縷々説明し、この担任は「研修所送り」にするべきだと詰め寄つたのだつた。しかし、その担任は爾後も通常勤務を続け、校長も翌年めでたく定年を迎へ、筆者には教育委員会から何の音沙汰もなかつた。今回の事件と同様で、おそらく教育委員会は電話で校長に事情聴取し、校長は「解決した」と答へたに相違ない。

さうであれば、教育委員会なるものが実に無駄な組織に思へるのだが、委員会が人格円満な退職校長などの「有識経験者」から成るからには、彼らが現役校長との軋轢を嫌ふのも、長い間教科書問題などを放置して未だに改善への意志が弱いのも、そしてアニメ映画「めぐみ」の上映を渋るのも宣なるかなである。

ともあれ、義務教育は危殆に瀕してゐると思はれる。親によつては程度の低い教員に教はるよりはと、オンライン教材や予備校の人気講師の授業をインターネットで子供に勉強させる方法を選び始めてゐるのだ。引き籠りの生徒を持つ親も同様だ。無論、学校は学科目以外にも学べることが多いから、右の事例は好ましいことではない。だが、数々の不祥事とその隠蔽体質を見ると、親への同情も禁じ得ない。

しかし、やはり義務教育の崩壊など見たくはない。教育関係者たちはどのくらゐの危機感を持つてゐるのだらうか。

［追記］

私も大学教員の端くれであるが、教員免許を持たない「無免許運転」の身であるから（大学教員は不要）、教育学や教育原理などの授業は受けたことが無いし、興味も無い。だから、右のやうな教育界の通弊がどこから来るのか――大学の教育学部の授業からか、個々の教員の人間性からか――は分からない。けれども、一つの組織論的な見地から見ると問題の在処が少しは明瞭になるやうな気がしてゐる。

私がなるほどと思つたのは評論家小浜逸郎氏の『学校の現象学のために』（大和書房）での指摘である。昭和六十年の出版であるから少し古いが、今なほ有効な指摘が随所にある。例へば、「学校の管理機構は脆弱である」といふ指摘だ。小浜氏は学校の職員構成には校長、副校長以下、殆ど「職階」といふものが無く、あつても教務主任、学年主任程度だと指摘して、次のやうに言ふ。少し長いが引用する。

「このことは、驚くべきことなのではないだろうか。およそ軍隊にはじまって、官庁、企業、政党、刑務所、病院、大学、労組に至るまで、いかなる人為的集団をとってみても、学校ほど職階が力をふるっていない組織はまずみあたらない。教師は、勤続三十年の老練から大学卒ホヤホヤの新米までが互いを『先生』と呼び合い、それぞれの仕事に対して具体的に干渉しあうということをしない」。そして肝心な「授業」に関しては、マニュアルや研究授業や先輩の助言などがあるかも知れないが、基本となるものは「生徒との閉鎖的な交流」であり、生徒が授業に不満を抱いたとしても彼らは解決の手段を持たない。つまり、一国一城の主となり、同僚同士が協力して一つの仕事を遂行してゆくといふ経験が世間に比べて圧倒的に少ない。従つて、「学校の職員室とは、それぞれのメンバーがそれぞれの職務課題を他と根本的には共有できずにもちかかえたまま、雑居的に寄り集まる空間のことであり、寄り集まっていながら組織単位の活動というものが殆ど不可能な空間のことである。あるいはそう決めつけないまでも、この空間のもつ性格が、ひとつの問題に対して組織的なレヴェルで機敏かつ有効に対応できる体制とはほど遠いということはたしかである」。

勿論、教育に簡便な処方箋なんぞあるはずはなく、小浜氏も「ここからどういう実践的な教訓が引きだされるかは、決してかるがるしく言えない」と書いてゐる。しかし、せめて、教員や校長や教育委員会の「有識経験者」たちが「学校というところは、産業社会の常識とはずいぶんかけはなれた組織体質をもち、しかもそれを当事者たちが不思議とも思わずに」ゐる場所なのだといふことだけでも意識するやうになれば、少しはその閉鎖性が開放されてゆくのではないかと思ふ。

第十九回　そんなに大事か英会話

令和元年十二月号

大学共通テストへの英語民間検定試験の導入は文科省の無為無策で延期となつたが、その導入の目的は、英会話など表現力の養成が一向に改善されない日本の英語教育を改めようといふものである。

だが、「会話能力」が身に付かないとしたら、一つには殆どの日本人が母語だけで経済的にも文化的にも豊かに生きられること、二つには母語と英語との言語的懸隔が甚だしく、要するに難しいからである。さらに付言するなら、教師が日本語で教へてゐるからであり、母語話者が担当しても、会話に必要な「言語的反射神経」を養成するには授業時間数が圧倒的に足りないからである。

それに、語学の能力も数学や運動の能力と同様に特殊能力であり、才能といふものが必要である。皆が皆、語学の才に恵まれてゐる訳ではない。

さういふ意味で抑々国民全員に英話を課す必要があるのだらうか。母語とは異なる言語と格闘することは「学習言語能力」開発に役立つので小学生はともかく中学生に英語を課すのは良い。しかしその場合、文法をしつかりと教へて英語の言語的な骨格を知らしめることが先決だ。持ち帰りハンバーガーの注文の仕方なんぞ教へる必要はさらさら無い。いざとなれば手振り身振りで通じるし、翻訳機の発達も目覚ましい。

そして高校では、英語は選抜を伴ふ選択科目としたらどうだらうか（そのためには大学の入試科目の再編成が必要となるけれども）。選抜制とすることにより、先づは「動機付け」が不要となり、クラス規模も小さくなり、やる気と能力のある生徒たちだけに一層高度な授業が出来、教育効果が格段に上がるに違ひない。

しかし、ただ英語に熟達させれば良いといふものではない。同時に、日本語や歴史などの勉強も徹底させる必要がある。自国の文化・教養について何を訊かれても答へられず、歴史認識を外国人から批判されてすぐに謝るやうでは、折角の英語力も宝の持ち腐れだ。それに「バイリンガル」や帰国子女の悲劇も多数報告されてゐる。日英どちらも十分に使へない「セミリンガル」の問題も深刻である（市川力『英語を子どもに教えるな』中公新書ラクレ）。

昔からなぜか国語教育についての議論はあまり聞かないが、鈴木孝夫慶応大学名誉教授、渡部昇一上智大学名誉教授、行方(なめかた)昭夫東大名誉教授、永井忠孝青山学院大学教授、津田幸男筑波大学教授、斎藤兆史(よしふみ)東大教授、等々、英語力に長けた諸氏が揃つて強調するやうに、先づはしつかりとした国語教育を授けることの方が重要なのだ。

喋れない英語教育も確かに問題かも知れぬが、歓喜や興奮を表すのに「テンション（緊張・不安の意）上がる！」などと宣ふ若者や（大人にもゐるが）、目的語や不定詞の意味も知らずに大学に入つて来る学生を量産してゐる現状はもつと問題なのである。

［追記］

我が国の外国語教育は「国際理解」と称して相手のことを知らうとばかりしてゐるが、「さうじゃなくて、国際相互理解でなくてはいけない」と長年主張して来られたのは鈴木孝夫氏である。氏は「要は、我々（の文化・文明・歴史）を知らせるための英語教育」が必要であり、そのためには「教科書は全部日本の歴史、日本の文学、日本の社会を扱うべき」と言つてゐる（『言葉のちから』文春文庫）。洵に慧眼であるが、そのためには我々日本人が西洋人や英語に対するあらぬ劣等感を克服しなくてはならず、未だ前途は険しさうである。

文中に「国語教育についての議論はあまり聞かない」と書いたが、大学入試において「大学センター試験」が令和三年度から「大学入試共通テスト」に変はり、その中で、これまでの「現代文（評論）」「現代文（小説）」「古文」「漢文」の計四題に、新たに「実用文」といふものが加はつた。同時に、指導要領も改定されて、「論理国語」「文学国語」などの名称が登場した。これらによつて、俄かに国語教育の問題が注目を浴び、様々な議論が行はれるやうになつた。

私自身は広く言つて「文学教育」、今回の改訂では「文学国語」とされる教材（特に詩と小説）の選択と作品数には慎重であつて欲しいと思つてゐる。文学の言葉は「特殊言語」であつて万人のものではないからである。「文学」は英語の literature の訳語と聞いてゐるが、訳語としては「文芸」のはうが相応しい。つまり、言葉による「アート」であり「芸術」である以上、その善し悪しは簡単には決められない。鷗外と漱石、バルザックとフローベールのどちらが作家として優れてゐるかなどといふことは簡単には言へない。ただし、文芸に限らず、美術や音楽などの芸術に生徒に触れさせることは必要だから、例へば、学齢に応じてであるが、評価の定まつた太宰治の「走れメロス」を読ませるのは良い。友情や約束について、考へる子は考へるであらう。しかし、あまり文学づいて、教員個人の「読解」に導くのはどうであらうか。

　この点、国語教育問題に詳しい紅野謙介日本大学教授も昨年一月の新刊で、中島敦の「山月記」を巡り、この作品の「文芸」として読み込む勘所を紹介した後、「それらを『生き方』に還元せずに教えられるかどうかが、『山月記』の醍醐味です。『自分の人生を考え』るのはまだ先でいい。教室でうかつに言葉にするのではなく、大事に心のなかで反芻することこそ、『自分の人生』に向き合う一歩なのです」と書いてゐる（『国語教育　混迷する改革』ちくま新書）。同感である。

　また、国語国字問題で強力な論陣を張つた福田恆存は、既に昭和三十年代半ばに、「日本の國語教育は成つてをりません」として次のやうに書いてゐる。「それは廣い意味での人間教育をほどこすための素材でしかなかつた。しかも始末の悪いことに、それを經（たていと）として文學教育といふ粗末な緯（よこいと）がいつも交ぜ織りされてゐたのです。（略）しかし、文學教育は國語教育ではありません」と（「私の國語教室」『全集』第四巻、文藝春秋）。もう一人、国語問題に一家言あつた小説家の丸谷才一もまた、「国語教科書批判」の中で「文学づくのはよさう」として一節を割き、「字も教へずに何が文学なものか」と文学趣味を一蹴してゐる（『完本・日本語のために』新潮文庫）。

最後に「英会話」の習得法について言へば、右に名を挙げた斎藤兆史氏は同僚のフランス文学者野崎歓氏との対談で次のやうに言つてゐる。「僕が信念のごとく言い続けているのは、書き言葉からしっかり入っていくべきだということ。（略）文法から入り、読解をやる。その基礎ができている人は、それこそ外国にある期間留学すれば、わりあい早いうちにいわゆるいまの人がいうコミュニケーション能力というんでしょうか、運用能力というのは身につくと思うんですね」と（『英語のたくらみ、フランス語のたわむれ』東京大学出版会）。この通りであると私も思ふ。

第二十回　中村哲氏の言葉を考へる

令和二年二月号

旧臘、アフガニスタンで中村哲氏が銃撃され死亡した。現地で敬愛されてゐた日本人だつた。謹んで哀悼の意を表したい。

しかし、「死者に鞭打つ」つもりは毛頭ないのだが、中村氏の死を徒死（とし）としないためにも、我々は氏の改憲についての言説から負の教訓を汲み取らねばならないのではないか。

『憲法を変えて戦争に行こうという世の中にしないための18人の発言』（「岩波ブックレット」・六五七号）といふ極め付きの駄本において、中村氏はひたすら九条擁護の言葉を書き連ねてゐる。曰く、九条を持つ日本人だから現地で命拾ひをした、改憲はせずに平和憲法の精神を生かす必要あり、同盟関係など一時の利害のための改憲は破局への入り口……。これは護憲派リベラルと同じ論法である。

さらに氏は「〔改憲は〕命を大事にするという憲法をないがしろにしている」「憲法9条をないがしろにすることは〔前の大戦の犠牲者を〕コケにすることです」と言ふ。だが、これはあまりに一面的な見方ではなからうか。

勿論、憲法は「生命、自由及び幸福追求の権利」を保証してゐる。しかし、憲法九条とそれに準じた「自衛隊法」「安保法案」で右の三つの権利が本当に守れるだらうか。「戦力」も「交戦権」も持たない以上は原理的に無理な話であり、このままでは、一朝有事の際に自衛隊は無数の「法令違反」を犯すことにならう。だから、「日本のために、日本人自身でつくる憲法を」といふ改憲論が「ご先祖様に対して失礼な言い分」といふことはあり得ない。

右のブックレットは平成十七年に出た。北朝鮮の度重なるミサイル発射実験や中国の領海侵犯の日常化はまだ先の話だからあまり酷なことは言ひたくないが、しかし拉致を巡る二度の小泉訪朝は平成十四年と十六年である。拉致は宣戦布告無き戦争なのだから、日本の安全保障政策が全く不十分であつたことは当時既に明らかだつたはずだ。

内政が長い間不安定で、且つテロや誘拐が頻発する国での活動の危険は覚悟の上だつたとのことだが、人間の取り決めより神の取り決めを尊ぶ、我々とは異質の世界についての認識の甘さが中村氏にもあつたのではないか。或いは、そこまで言はずとも、氏の『丸腰の強さ』を現地にいると痛感します」といふ言葉は戦後日本の空想的平和主義者の言葉に近い。どの国でどんな奉仕活動をしても、「敵の味方は敵」といふことがある。きちんと法改正が行はれて自衛隊の警護の下で活動してゐれば、或いは亡くならずに済んだのではないかといふ思ひを筆者は禁じ得ない。だとすれば、氏は九条の、そして改憲論議から逃げ回つてゐる野党の犠牲者と言へるのではなからうか。合掌。

［追記］

『産経新聞』（九州・山口版、令和二年九月十五日付）によれば、福岡市が中村氏に名誉市民の称号を贈り、証書とメダルを娘さんが受け取つた。市は授与理由を「異文化の理解と尊重を求め、真の平和構築を目指してきた中村さんは福岡市の大きな誇り」と説明した由であるが、「異文化の理解と尊重」とか「真の平和構築」とか在り来たりの美辞麗句で問題を矮小化してしまつてゐる。中村氏の「丸腰の美学」を信じた日本人も現地で何人か横死してゐるし、中村氏と一緒に現地のボディーガードや運転手も殺されたのである。中村氏だけの問題ではないはずだ。

無論、氏の善意は疑はないが、やはり、あの国で「丸腰」は無謀なのだ。なぜか。「アフガンの民はセフリかダコイトに分別できる。セフリは畑仕事なり羊追いなりを生業にし、ただ旅人が通りかかれば盗人になって襲う。ダコイトは盗人稼業が本業で副業に羊を追う」と現地の事情に詳しい高山正之氏が書いてゐる（「アフガニスタンに善意は届かない」『日本よ、カダフィ大佐に学べ』新潮社）。

さらに、十月六日付同新聞記事によれば、アフガニスタンのナンガルハル州の公園内に、中村氏の功績を讃へた記念塔が完成したとのことである。ただ、この記事では、建立費用などを福岡市のＮＧＯ「ペシャワール会」が出したのか、アフガン政府が出したのか不明である。

第二十一回　近藤誠医師を讃す

令和二年三月号

近藤誠医師は元慶応大学医学部放射線科講師で、現在は「近藤誠がん研究所」所長である。氏が「論壇」で有名になつたのは、各方面に衝撃を与へた論文「乳ガンは切らずに治る」（『文藝春秋』昭和六十三年六月号）以来である。当時は乳癌となればハルステッド手術（腋下リンパからあばら骨に至る広範囲な乳房切除法）が標準治療であつたが、氏はその十七年前からこの手術が欧米では行はれてをらず、癌細胞のみをくり抜き、乳房全体は温存して放射線で叩くといふ方法が取られてゐること、そして、切除組と温存組とを比較した海外のデータによれば、その余命は殆ど違ひがない、即ち、結果が同じならば切除せずにQOL（生活の質）を維持した方が良いと結論付けたのだ。これは大きな反響を呼び、その年の「文藝春秋読者大賞」を受賞した。

勿論、それに対して東大やがん研究センターなどの有名医師たちから激しい批判を受けることになり、ひと頃は学界で村八分にされたやうだ。当時、批判者側の言説をかなり読んだが、近藤説の方が説得力があつた。なぜなら、氏は感情を排した専らデータ主義なので、データとその読み取りが正しければ氏の説も正しいのだ。その結果、今では乳房温存手術が標準治療となつた。

それから、これも現在では常識となつてゐる「セカンド・オピニオン」の考へ方も氏が強く主張したものだ。多くの医者は「余計なことを言ふ奴だ」と思つたはずである。

氏は、癌に似てはゐるが転移しないものを「がんもどき」と名付け、酷似ゆゑの誤診の多さを指摘する。癌と診断され手術を勧められたが、「セカンド・オピニオン」を求めたり自分で勉強したりして時間が経過するうちに「消えた」と診断され、手術を免れた人を筆者は数人知つてゐる。最初の診断は誤診だつた訳だ。だから、「すぐに手術に応じないで様子を見よ」と説く『がん放置療法のすすめ』（文春新書）も謂れのないことではない。

氏の筆法は研究の深化に連れて益々直截になり、多くの医師たちの怒りを買つてゐる。自らの著書で「抗がん剤は効かない」「集団検診は無意味」「早期発見・早期治療は嘘」などと、医学常識を覆すやうなことを言ひ続けてゐるからである。さらには、本庶佑氏がノーベル賞を授与されたオプジーボについても「がん治療の効果なし」「比較試験のデータに矛盾がある」と言ふのである。詳細は『医者の大罪』（ＳＢ新書）に譲るが、氏は根拠（データ）無しには主張しないので傾聴に値しよう。

ただし、それらは医療の否定ではなく、利潤に聡い医師や薬を妄信せず、自分自身で自分を守るやうにとの勧めであることは理解したい。どこか、国防議論にも通じるものがあるやうに思はれる。

［追記］

近藤氏の所説はここ二十年でかなり認められるやうになつたと思はれるが、その中でおそらく最も広く江湖に流布したのは、過剰診断を諌める「がんもどき」理論と「早期発見・早期治療の無意味」ではなからうか。その方面の代表的な著作は『これでもがん治療を続けますか』（文春新書）と『健康診断は受けてはいけない』（同）である。さらに、精神科医の和田秀樹氏との対談本に『やってはいけない健康診断』（SB新書）もある。近藤氏以外の書籍では鳥集徹氏の『がん検診を信じるな――「早期発見・早期治療」のウソ』（宝島社新書）がある。しかしながら一方では、令和二年度上半期のテレビでACジャパン（旧「公共広告機構」）が「夫婦でがん検診を受けよう」といふ広告を盛んに放映してゐたといふ現実もある。

第二十二回　カミュの『ペスト』に学ぶ

令和二年四月号

武漢コロナを契機として、アルベール・カミュの往年の名作『ペスト』（宮崎嶺雄訳、新潮文庫）が一万部増刷されたと聞いて、小欄も昔読んだ文庫本を引張り出してみた。アルジェリアの港町オランでペストが流行して町が封鎖され、多くの人々が病死してゆく中での人間模様を描いた群像劇だ。医師リウーの懊悩や活躍を縦軸に、そこに多くの登場人物が絡み、思想的・人生論的な会話がしばしば展開される。

おそらく作者は、当時の思想界を席巻してゐた「神無し（共産主義）」と「神有り（カトリシズム）」の対立に対して、第三の道「人間としての誠実」、今風に言へば「人間力」といふものを措定したかつたのではなからうか。

「神を信じない」と言ひつつも献身的に振る舞ふリウーに、新聞記者ランベールが、それは「ヒロイズム」なのかと訊くと、リウーは「ペストと戦う唯一の方法は、誠実さ」であり「僕の場合には、自分の職務を果たすことだ」と答へる。

ここで小欄は我が国の選良たちの「誠実」を疑はざるを得なくなる。彼らは本当に「職務を果た」さうとしてゐるのだらうかと。明らかに中国と我が国の経済界の顔色を窺ふことにより、中国人入国禁止の対策を遅らせて武漢コロナの国内感染を増大させた政府与党。具体的な感染対策を論ずるべき時期に及んでもまだ「桜を見る会」の些末な問題に拘り続け、安倍内閣の出した事後対策には粗捜ししか能の無い野党。実に悪夢である。

ところで、対策関連の報道を見てゐて小欄が最も奇異に感じたのは、大臣から識者、そして親までが、休校中の子供たちの処遇について「負担」といふ言葉を使つてゐたことだ。「負担の軽減」といふふうに。自分たちが望んで拵へた子供――山上憶良の言ふ「宝」だ――の世話を「負担」と言ふのかと。このやうな言葉を多くの同胞が無頓着に用ゐるところに今日の家庭の問題の在処(ありか)が示されてゐるやうに思はれる。何年も休校が続く訳ではあるまいに。

確かに、乳幼児を持つ共働き家庭は非常に困るであらうが、そこはそれ、文句を言ふ前に、親としての気概と責任感で知恵を絞り工夫を凝らし、艱難を乗り越えようとするべきではないか。

さらには日用品の買ひ占めもあり、あらうことかそれで一儲けを企む輩もゐる。パリで恋人が待つランベールは、最初は非合法の手段を使つてでもオランから脱出しようとしてゐたが、遂には「保健隊」に志願して言ふ、「自分一人が幸福になるということは、恥ずべきことかもしれない」と。

やがてペストは終熄するが、カミュは最後に、ペスト菌は決して死なず、「人間に不幸と教訓をもたらすために」再び舞ひ戻ると警告してゐる。学ぶことは多い。

［追記］
カミュは主人公リウーと同じく自分の分身で重要人物の一人タルー（裕福で遊び人だが、保健隊を創設。死刑廃止論者であり、最後にはペストに斃れる）について次のやうに描く。「如何なる人をも断罪する権利を人間に認めず、しかし、誰もが断罪せずにはゐられないことを、そして犠牲者たちさへ時には死刑執行人たることを知つてゐたタルーは、分裂と矛盾の中に生きて来たのだ」（訳文一部改変）と。この一元論に集約されない矛盾、葛藤、懊悩を引き受ける態度こそ、主人公リウーもカミュも持ち合はせてゐたものであり、我々日本人が学ぶべきものではないか。

この点で、松原正が卓抜な指摘をしてゐるので引用する。「なにゆゑ我々は白色人種の後塵を拝さねばならないのか。強靭執拗な二元的思考が不得手だからである。（略）尊攘から隷従、隷従から『自立自尊』、自立自尊から再び隷従といつた具合に、安直で輕薄な一元論の交代はあつても、恆常的二元論がこの國には無い。（略）一元論に凝り固まるのは、堅き信念の持ち主を演ずるための見え透いた詐術である」（「政治・好色・花鳥風月（十五）」『全集』第二巻、圭書房）。

我々には、平和でなければ戦争、幸福でなければ不幸、右でなければ左、黒でなければ白といふふうに、一元論もしくはその「交代」があるのみで、黒でも白でもない——そしてその中間の灰色も無限のグラデーションがある——状態に耐えるのが「不得手」だといふ訳だ。確かにさうであり、如何に不得手かは地上波のテレビニュースや朝日新聞などに最も典型的に表れてゐる。

ところで、カミュはある時、「好きな言葉」を十個挙げよといふアンケートに、「世界、苦悩、大地、母、人間、砂漠、名誉、悲惨、夏、海」と答へてゐるさうだ（斎藤一郎『幸福論——フランス式人生の楽しみ方』平凡社新書）。著者の斎藤氏も言ふやうに、同じ質問に「苦悩」と「悲惨」を挙げる日本人はまづゐないであらう。

カミュ自身の選択理由については書かれてゐないけれども、想像してみるに、「苦悩」や「悲惨」は人間に付き纏（まと）ふ「悪しきもの」であるが、しかし、それは避けられないといふ意味で宿命であり、しかもそれらにシーシュポス（シシュフォス、シジフォスとも。ギリシャ神話で、ゼウスに憎まれて地獄で絶えず転がり落ちる大石を山頂に上げる刑に処せられたコリント王）さながらに生涯挑み続けることこそが人間的な営為であり、尊厳や「名誉」に繋がるものと考へてゐたのではなからうか。

カミュが十九歳で出版した評論集『シーシュポスの神話』を読めば分かることだが、彼の言ふ「不条理」とは、要するに、我々人間が死すべき存在であるといふことだ。そして、その不条理を受け止めつつ、一種絶望的な「反抗」に転ずることだけが人間を人間たらしめる契機となるとして、カミュはかう書いてゐる。「こうした反抗が生を価値あるものたらしめる。反抗が一人の人間の全生涯につらぬかれたとき、はじめてその生涯に偉大という形容が冠せられるのだ。偏見のない人間にとって、知力が自分の力をはるかに超える現実と格闘している姿ほどすばらしい光景はない。（略）精神がみずからに命じるあの規律、すみずみまで鍛えあげられたあの意志、あの毅然と向きあってたじろがぬ姿勢、それらには力強い独特なにものかがある」（「不条理な論証」同書所収、清水徹訳、新潮文庫）。

これは一種のヒロイズムであらうから、我々にも理解は比較的簡単であるが、しかしカミュはそこに止（とど）まらない。続けて、自由や熱情といふ問題を論じ——若書きの所為か、読みやすいとは言へないが——、最後にはかう言ふのである。「立ちどまるのはよくないことだし、ひとつの見方だけに満足し、精神の次元に属するあらゆる力のなかで、おそらくもっとも精妙な力である矛盾をみずからに禁じてしまうのは困難なことである」と。「矛盾」を解消するのではなく、絶えざる緊張感を持つて矛盾と対峙せよと言ふのである。まさに「強靭執拗な二元的思考」と言ふべきである。

第二十三回　是々非々主義を貫かぬ言論人たち

令和二年五月号

前回、小欄は安倍政権が中国人入国禁止措置を遅らせたことを批判したのだが、『Hanada』五月号に保守派のジャーナリスト山口敬之（のりゆき）氏と小川榮太郎氏の言はば「首相擁護論」が載つたので早速読んでみた。しかし、納得できなかつた。

小欄は最初の水際対策の遅延と自己申告の検疫態勢はともかく、その後の「一斉休校」や「自粛要請」などの首相の英断は多とする者であり、そこは両氏と同じである。「休校」に対して「科学的根拠を示せ」と難癖を付けた蓮舫参議員なんぞには哀れを催すのみだ。

さて、山口氏によれば、首相が中国全土ではなく湖北省からの入国だけを制限した理由は、「専門家たちが異口同音に『今から中国人を遮断しても最早ウイルス拡大は止まらない』と述べたから」といふことであるが、俄かには信じられない。

一方、小川氏もまた、「感染力の強い新型ウイルスが身近な国で爆発的に繁殖している以上、水際対策では防ぎようがない。（略）感染カーブを極力緩やかにしつつ、集団免疫を確立して、その間治療態勢を整える以外に（略）選択肢はなかった」と言ふのだが、これまた理解に苦しむ。大火事が起きた時、「拡大が止まらない」からとて消火活動を止め、延焼防止措置も採らない消防隊員がゐるだらうか。また、「感染カーブを緩やかに」するためにこそ中国人入国拒否といふ選択肢もあつたのではないか。武漢市を封鎖した時には既に数百万人が脱出してゐたといふ報道もあつたし、彼らが北京経由などで来日する可能性は十分にあつたからである。さらに言へば、遅まきながら三月五日になつて中国全土からの入国禁止を決めたのは、やはり有効だと政府が判断したからではないか。

このやうな非常時には、正解は後になつてみなければ不明ながら、「空振りは良いが見逃しはしてはならない」といふ鉄則で動くべきだと思ふ。

仮に、感染拡大は「ほぼすべてがクラスターによるものであり、海外からの渡航者による市中感染は散発的なものに留まっている可能性が高い」（小川氏）といふことになつたとしても、武漢封鎖の一月二十三日の段階で中国全土からの入国拒否はあり得る選択だつたのではあるまいか。

首相が習近平国賓待遇に拘つてゐたことや春節が目の前だつたこともあり、小欄を含む多くの保守派が中国と我が国の経済への忖度を優先させたと批判した。かうした批判に対して、山口氏によれば、「政治的な判断（保守層ウケ）を優先することは一切しない」と首相が言つたらしいが、別の意味の「政治的判断」はあつたであらう。

保守派であれ、保守政権批判は必要である。問題は、是々非々主義を貫かぬ言論人の方である。

［追記］

その後、さる友人から「確かに専門家がさう言つたのを覚えてゐる」と言はれたから、山口氏が書いてゐるやうに「異口同音」かどうかはともかく、「今から中国人を遮断しても最早ウィルス拡大は止まらない」と言つた専門家がゐたのは事実だつたのであらう。しかし、今考へても納得できない。さういふ専門家には、台湾がすぐに中国からの入国を拒否してコロナ禍を見事に抑へた理由と、我が国がその後どうして中国全土からの入国を禁止したのか、その理由を説明して欲しいものだ。

［追記］の［追記］

菅政権となつてからも、武漢コロナ対策では政府の優柔不断と言ふか、ちぐはぐな対応が目立ち、政権の評判は頗る悪い。自粛だの緊急事態宣言だのと国民に我慢を強ひてゐながら、ひと頃までは外国人を入国させてをり、一年前の教訓を全く活かしてゐない。

一月に入つてからは、「医療崩壊」といふ声が上がり始めた。しかし、少なからぬ専門家が訴へるやうに、武漢コロナを「指定感染症」の第二類から五類に下げれば治療を引き受ける病院数が増え、医療崩壊は防げるのではないか。第二類は「結核、SARS、鳥インフルエンザ」と同類であり、この新型コロナが第三類の「コレラ、腸チフス」、第四類の「デング熱、日本脳炎」より手強い感染病とはとても思へない。第五類の「季節性インフルエンザ」と同類の扱ひで良いのではなからうか。マスメディアも連日、陽性者数の増加を伝へるだけでなく、このやうな本質的な問題に切り込むべきであらう。

第二十四回　『正論』よ、お前もか！

令和二年六月号

「新しい歴史教科書をつくる会」の教科書（自由社）が一発不合格となり、「つくる会」側が五月に反論の書を出した。藤岡信勝他著『教科書抹殺――文科省は「つくる会」をこうして狙い撃ちした』（飛鳥新社）がそれだ。

これを読むと、文科省の官僚や教科書調査官らの悪意と非常識が浮かび上がる。新元号の発表前に作られた申請本で、取り敢へず「■■」としておいたら、「生徒にとつて理解し難い表現である」と検定意見が付いた。伏字は元号判明後に埋めることができるのだから、異常な指摘と言ふほかはない。仁徳天皇は「祀られて」はをらず、インドネシアはその独立について日本に感謝してゐないらしい。神道の古さの説明には「体系化の時期」を問ひ、原爆の残忍を指摘した「フーバー大統領回顧録」からの引用については死者数が定説と異なる、といつた揚げ足取りの検定意見を付けてゐる。「つくる会」の憤激は想像するに余りある。

この問題に関して『正論』六月号に「文科省批判と再検定要求の前に」といふ「本誌編集部」が書いた論文が載つてゐるが、奇異な代物である。執筆者が複数なら複数の氏名を出せば良い。をかしいなと思つて読んでみると、さもありなんといふ文章であつた。

検定意見に数々の理不尽を認めながらも、「それが自由社の教科書を狙い撃ちにして葬り去るような恣意的な検定だったか、といえば、そうした悪意を裏付ける証言や客観的な証拠は示されていない」と書いてゐる。「悪意を裏付ける証言」は文科省側に求めるほかはないのだから無い物ねだりであり、「客観的な証拠」は伏字の件の他にも多数あるではないか。

論文全体の論旨は、「つくる会」の言ひ分も分かるが、「検定意見を踏まえた教科書記述ふといふことだ。しかし、これは「長い物には巻かれよ」といふことになりかねない。勿論、検定に合格する「技術」といふものもあらうし、さうした「実務経験者に乏しいといふ弱点」が自由社にあつたのは事実かも知れない。しかし、そんなことよりも、保守系雑誌ならば、赤化した文科省への危惧と批判を共に表明するはうが先であらう。なぜ表明しないのか。

育鵬社（フジサンケイグループ傘下の扶桑社のそのまた子会社）の教科書が検定に合格したのは「長い物に巻かれ」た結果だからだ。しかもそれは脛に瑕持つ教科書だ（『歴史教科書盗作事件の真実』自由社）。「南京事件」を認めなければ合格しないやうな検定に対し、「世論に訴え自分たちの要求を付き付け」ることのどこが悪いのか。

この編集部論文はあちらこちらを忖度した結果、『正論』には似つかはしくない文章になり果ててしまつたと言はざるを得まい。

【追記】

この原稿を『時事評論石川』に送稿したのが五月末で、その後すぐに『正論』七月号が届いた。そこには、右の六月号編集部論文に反論する藤岡信勝氏（「つくる会副会長」）の文章と、その後ろに田北真樹子編集長の文章が載つてゐた。「虎ノ門ニュース」で見る彼女を決して嫌ひではないのだが、残念ながら相変はらず褒められた文章ではなかつた。拙稿が田北編集長の目に留まるかどうか分からないので——後に、『正論』編集部の某氏が『時事評論石川』を読んでゐることを知つたけれども——直接伝へようと思ひ、『正論』巻末の読者欄に投稿した。以下の文章がそれであるが、本書では歴史的仮名遣に直した。尚、予想通り、八月号に拙稿は掲載されなかつた。

【投稿】

貴誌七月号における田北真樹子編集長の「自由社歴史教科書に関する正論編集部の考え」を批判する

失礼ながら、一読、怒りを感じました。六月号にあれだけ「上から目線」で自由社の教科書とその作り方を批判的に論つておきながら、藤岡氏から反論が出ると「論争」ではないから反論はしないとのこと。どう見ても、問題から逃げたとしか思へませんし、藤岡氏や読者に失礼だと思ひました。

それに、「従軍慰安婦」の再登場についても、六月号の文章は、藤岡氏の言ふ通り、文科省を

「弁護」してゐるかのごときであり、私もまた「一片の怒りも感じられない」と思ひました。「世論提起が本誌の願い」と仰るが、さうであるなら、また、保守派の月刊誌を任ずるのなら、あまりに左傾化してゐる文科省への危惧と批判の声を共に挙げるべきではなかつたでせうか。さうできなかつたのは、フジサンケイグループの育鵬社の教科書が、もはや文科省との闘ひを忌避したがゆゑに合格してゐるといふ事情抜きには考へられません。もしさうであつたなら、六月号のやうなお節介な文章は書かず、沈黙するべきでした。

また、六月号の「操舵室から」では、「是非、地元の書店に行って本誌を手に取って頂ければ」云々と書かれてゐますが、ここを読んでゐる読者は既に何らかの手段で入手してゐるか、本屋の店先で立ち読みしてゐる訳ですから論理的に全く無意味です。また、そもそも御社のキャンペーンにより、私のやうに定期購読してゐる読者にはさらに無意味です。編集長の文章としては、文章自体が上滑りしてゐます。

尚、引用されてゐる創刊号の「編集後記」の中、「おもねず」は「ら」が抜けてゐます。〈了〉

ところで、令和二年九月十三日付け『産経新聞』によれば、三年度から使用される中学教科書採択において、これまで育鵬社版を使つて来た市町村の半数以上が他社版に切り替へることになつたと報じてゐる。具体的数字を挙げれば、二十三市町村のうち十四市町村が他社版を選択したとのことである。背景には育鵬社版採択反対派の組織的運動と首長や教育委員会の事勿れ主義があつたとされてゐて、それはその通りだと思ふが、同時にさもありなんと私が感じたのは、武蔵野大学の持田浩志客員教授の「一言で言うと、推進派の熱が冷めてしまった」といふ分析である。もしさうであれば、「新しい教科書をつくる会」を割つて外に出た育鵬社版の執筆者たちの責任は重いと言はざるを得まい。鈴木敏明氏の『保守知識人を断罪す――「つくる会」苦闘の歴史』（総和社）を読むと益々その感を強くする。分裂さへしなければ、両陣営とも優れた人たちがゐるのだから、もつと大きな力になり得たのではなからうか。非常に残念である。

第二十五回　拉致問題の進展を阻むもの

令和二年七月号

先月五日に残念ながら横田滋氏が亡くなられた。その夜のＮＨＫ七時のニュースでアナウンサーは再三に亙り「救出活動四十年以上」と言ひ、六日フジテレビの「バイキング」でも同様の文字がパネルに書かれてゐた。マスメディアの浅薄を示してゐよう。めぐみさんが拉致されたのは昭和五十二年で、平成九年に北朝鮮にゐるといふことが判明し、「拉致被害者家族連絡会」が結成されたのだが、そこに至るまでの二十年間は「救出活動」ではなく「捜索活動」である。「誤報」と騒ぎ立てる程のことではないけれども、問題が問題だけに非常に腹が立つ。そこに透けて見えるのは浮ついた浅薄な関心と怠惰な仕事ぶりだからである。情報の真偽に敏感な層によつて、地上波のテレビニュースとワイドショーが愛想尽かしされるのも当然だ。

一方、『朝日新聞』の社説（六月七日付）も浅薄加減において選ぶところはない。「娘にもう一度、会いたい。その願いも、遂にかなわなかった。（略）その無念さに誰もが胸を痛めている。この悲劇を繰り返してはならない」と陳腐な書き出しから始まり（本当に、「誰もが」だらうか）、最後には、安倍政権は「ストックホルム合意」（以下「合意」）に基づいて「交渉を再開させるよう全力を注ぐべきだ」と結論付けてゐる。

六年前もマスメディアは燥（はしゃ）いだ。けれども、それはこの「合意」を我が事として真剣に読んでゐないからである。

「合意」は日朝で互ひに七項目づつの「行動措置」を取り決めたのだが、北朝鮮側の第一の義務は、終戦前後に死亡した日本人の「遺骨及び墓地、残留日本人、いわゆる日本人配偶者、拉致被害者及び行方不明者」を「包括的かつ全面的に」調査する、といふものである。そしてわざわざ第二項目で「一部の調査のみを優先」せずに「同時並行的に」としてゐる。これらが真実の隠蔽と時間稼ぎのために挿入された言葉なのは明らかだ。そして拉致被害者に直接触れた第五項目には、生存者がゐた場合には「帰国させる方向で去就の問題に関して協議」すると書かれてゐる。この全く不要な「去就の問題」がクセモノだ。状況次第で、拉致被害者が「帰りたくない」と答へるやうに仕向けるつもりなのだらう。

こんな益体もない「合意」——省益しか頭に無い外務省が絡むと碌なことは無い——に基づき何をしろと言ふのか。

昭和六十三年三月に政府が初めて北朝鮮による拉致を認めた時、『朝日新聞』は記事にしなかつた。その後も『朝日新聞』とその愛読者と思しきインテリや政治家たちは、国交正常化のためには拉致問題は「障碍」であると言つてゐた。拉致問題の進展を阻んでゐるのは、中国や北朝鮮の共産主義に今なほ幻想を抱いてゐる勢力の存在なのだ。今さら追悼の言葉は白々しい。

［追記］

「その無念さに誰もが胸を痛めている」が嘘であるといふ証拠を一つだけ挙げておく。

今から僅か三年前の平成二十九年、世界的ヴァイオリニストの五嶋龍氏が、「拉致被害者を忘れない」と銘打つた「プロジェクトR」を企画し、音楽大学以外の大学オーケストラに参加の呼び掛けを行つた。五嶋氏とのジョイントコンサートである。最初は約四十の大学が関心を示し、説明会にも十八の大学関係者が集まつたが、その話題が知られるに連れ、「政治問題に係はるのは如何なものか」とか「北朝鮮が怖い」とかの声が徐々に大きくなつてゆき、結局は関西大学、大阪大学、宮城教育大学、そして医療系大学生でつくる交響楽団の四団体のみの参加となつたのであつた。

これなのだ、山本七平がかつて「空気」と呼んだのは。それは「教育も議論もデータも、そしておそらく科学的解明も歯がたたない〈何か〉」なのだ（『「空気」の研究』文春文庫）。この本が出版されたのは昭和五十二（一九七七）年であるが、その後も日本社会は相変はらずこの「空気」の支配下にあり、私もこの「空気」に全く左右されない訳ではないから声高に批判するつもりはないが、それも程度問題であつて、右の程度の「空気」に右往左往するといふことは、拉致問題を我が事として考へてゐないからであり、そのやうな人間は滋さんの死に決して「胸を痛める」ことは無いはずだ。

［追記］の［追記］

横田滋さんが亡くなられて四日後、妻の早紀江さん、めぐみさんの双子の弟、拓也さんと哲也さんが記者会見に臨んだ。早紀江さんと拓也さんのお二人は、無念の気持ちと関係者や国民への感謝の言葉を基本に話を終へたが、次男の哲也さんは「この拉致問題がなかなか解決しないことで、ジャーナリストやメディアが安倍政権を批判するが、何もやつてゐない人間が政権批判をするのは卑怯である」（大意）と勇気のある発言を行つた。これは野党の政治家たちにも言へることである。ひと頃は、自分たちの非力と無能を棚に上げて、何でもかでも「安倍一強」の所為にしてゐた。彼ら左翼の政治家とジャーナリストたちは、日頃「人権」を声高に叫ぶ。特に、彼らの言ふ「人権」がこれから侵害されさうな時は擁護するが、北朝鮮や中国や韓国によつて現に侵害されてゐる人たちのためには動かないのが特徴である。彼らの言ふ「人権」に二種類ある証拠である。

尚、私は同憂の士たちと共に、平成十年五月、「北朝鮮に拉致された日本人を救出する宮崎の会」（「救ふ会宮崎」）を結成し、その代表として今日まで活動を続けて来た者である。横田さんご夫妻はもとより、他の被害者ご家族の皆さんと一緒に何度も集会、街頭署名活動、デモ行進などを行つて来た。辛く苦しい日々にあつても、とりわけ横田滋さんは「温容」と言ふのか、柔らかな笑みを絶やさず、めぐみさんのために頑張つてをられた。忘れられないお姿であつた。

早紀江さんはなかなか筆の立つ方で、『産経新聞』に「めぐみちゃんへの手紙」を不定期に連載されてゐる。いつも素晴らしかつたが、特に、滋さんが亡くなられた後の最初の「手紙」は非常に感動的だつた（七月十一日）。

滋さんの最期を見送る時の文章はかうである。「病床にあって、いつもの笑顔をたたえ、あなたを強く思いながら、最期まで静かで、穏やかな、お父さんらしい旅立ちでした。あなたの写真に囲まれ、たくさんの祈りにも支えられて、優しい光の中に包み込まれるように、スッと天に引き上げられていきました」。また、「うっすらと涙を浮かべた安らかな顔」とも書いてをられる。

時間とは惨（むご）いものだ。多少なりとも救出活動に挺身して来た身にとつても、本当に悔しく、自らの無力を改めて思ひ知る。私はこんな時、パスカルの「力の無い正義は無力である」といふ言葉を反芻させられるのが常である。と同時に、それこそ「神も仏もない」とも思はされるのだが、しかし、早紀江さんの右の言葉を読むと、滋さんが召天される瞬間は、何か淡い「光」のやうなものに包まれて旅立たれたのだと思へて——クリスチャンの栄光であるかも知れない——、それが私にとつては一つの慰めである。

パスカルは『パンセ』に神の言葉の比喩として、「安心しなさい。あなたが私を求めたのは、既に私を見出してゐたからである」といふ深遠な言葉を書き残してゐる（正確には、甥のルイ・ペリエが作成したパスカルの未公刊テクスト「ペリエ写本」の中にある言葉）。キリスト教徒に非ざる私だが、パスカルのこの言葉は心に響く。

滋さんが天国で永遠の命を与へられて、下界のご家族や「救ふ会」の活動を見守つてをられる、と信じてはならない理由は無いと思はれる。

令和二年九月号

第二十六回　経歴に惑はされること勿れ

山口真由といふ元財務官僚がゐる。東大在学中に司法試験と国家公務員I種試験に合格。ハーバードのロースクールを卒業し、東大大学院で法学博士号取得。ニューヨーク州弁護士の資格も有する。現在の肩書「信州大特任准教授」が色褪せて見えるほどだ。

その山口氏が書いた「黒人と白人　アメリカ社会の現実」が八月二日付『産経新聞』に大きく載つてゐたので読んでみた。

だが、白人警察官により殺害された黒人たちの話は、よくある黒人側の咎（とが）（麻薬の常習、前科、逃走、武器所持、反撃）には触れず、今回の暴動の蔭にゐる「アンティファ」にも触れない偏つたものだつた。

「黒人差別は構造的なものであると同時に、日常的なものでもある」と書いてゐるが、それに続く彼女の友人たちの話は個別的な経験談でしかない。氏もさう思つたのか、次いで「黒人女性教授のパイオニア」レジーナ・オースティンの論文を引用して箔付けする。この教授によれば、「『黒人』と一括りにできるような状況では、もうとっくにない」。要するに、黒人は一定の社会的成功を収めた「ミドルクラス」とその日暮らしのやうな「ストリート」とに分かれてゐる。しかし、前者は後者に郷愁を抱き、その「黒人文化を理想化」し、それが「アイデンティテイ」ともなつてゐるから、黒人被害者の痛みを我が物として感じるのださうだ。だが、これではデモに参加する白人の心理の説明にはならない。

ともあれ、このやうな説明から、山口氏は「黒人差別はなくしていかなければならない」と力む。「なくす」の主語は白人だらうが、文章を読む限り、彼らに提示できる妙案が氏にある訳ではない。そもそもアメリカはネイティブ・アメリカンの殺戮など、ライフルを用ゐて建国し、長い間黒人を奴隷として扱つた国である。国の成り立ちも異なり、奴隷も持たず、人種差別もされたことはあつてもしたことのない日本人には理解の難しい国柄だ。現代の白人・黒人の複雑な心理や愛憎もまた容易には分かりにくい。

だが、小欄に分かつてゐることが一つある。人間の「差別心」は人間性に根差してゐるゆゑに無くならないといふことだ。人間が美を愛し醜を嫌ふのは、一つのことの裏表である（肌の色を言つてゐるのではない）。愛は究極的に差別かも知れないのだ。さういふことを考へたことがないから、相手が「何に悩んでいるかを（略）聞いて」「その人の視点から世界を見て」「共感の翼をより多くの人に広げていくこと」が「今後、求められているのではないか」と氏は呑気に結論する。『朝日新聞』の読者欄程度の気楽な文章を寄稿するとは『産経新聞』も読者も舐められたものである。

［追記］

六月十四日付『産経新聞』に右と同様の寄稿欄があり、こちらは福井県立大学教授で「救ふ会」副会長の島田洋一先生が同じく全米デモについて書いてゐて、その文章は間然するところのないものである。アンティファや「黒人の命は大事だ」といふスローガンの持つ問題も指摘してゐるし、トランプ大統領は巷間言はれるやうな人種差別主義者ではなく、「警察が組織として人種差別意識に侵されているという主張に与しないだけ」と冷静に分析してゐるのだ。そして「不当な警察攻撃が広がることで、最も被害を受けるのは黒人が多く住む地区の中下層の人々である」と意外な点を指摘して次のやうに書いてゐる。「近年、暴動を伴う反警察運動が起こった地域では、いずれもその後、凶悪犯罪の数が顕著に上昇している。下手にトラブルに巻き込まれ『黒人に暴行した』と言われると解雇、起訴となりかねないため、警察がパトロールを避けるのである。その結果、無法地帯化し、商店が去り、雇用が失われる」と。アメリカの事情に詳しい知識人に教へて欲しいのはかういふ事実なのであつて、抽象的な理想論の押し付けではない。

山口氏は物書きとして新米なのだらうと思ひ、氏について調べて見ると、何冊も本を出版してゐて驚いた。『東大主席が教える七回読み勉強法』とか『賢い頭をつくる黄金のルール』とか、要は「優秀な私が実践した勉強法を教へます」といつた類のハウツー本であつたけれども。他に『高学歴エリート女はダメですか』といふのもあつた。どれも出版社が売らんかなの意図で付けた題名であらうし、他人の生き方のことだから「厚顔無恥」とまでは言はないが、折角の才能だ、名を惜しむべきである。ただ、最新刊に『思い通りに伝わるアウトプット術』といふのがあり、これの副題か帯の惹句かは不明ながら、「本当に伝えたいことを効果的に届ける技術」とある。次からは「本当に伝えたいこと」が読者に伝はるやうに書いて貰ひたいものだ。

第二十七回　絶望的なり、外務省

令和二年十月号

「害務省」と揶揄されて久しい外務省の改革は一向に進まぬやうだ。七月号にも書いたが、外務省が対外事案に絡むと碌なことはない。

平成十一年、中山恭子ウズベキスタン兼タジキスタン全権特命大使は赴任後まもなく、隣接するキルギスで日本人鉱山技師四人を含む計七人が反政府ゲリラによつて拉致されるといふ事件に遭遇した。外務本省からの指令は「キルギス政府に任せ、情報収集のみ行へ」といふことであつたが、何としても救出したいと中山大使以下、大使館職員全員が力を合はせた結果、二カ月後には遂に救出に成功したのである（詳細は中山女史の『ウズベキスタンの桜』ＫＴＣ中央出版を参照されたい)。

その中山女史は五年前にも『正論』(十一月号)で「外務省は拉致交渉から撤退せよ」と主張してをられる。なぜなら、通常の「外交交渉」ではないからである。正に明察である。

昭和六十三年、有本恵子さんのご両親が初めて外務省に陳情に行かれた時、対応した事務官から「日朝交渉の邪魔になるから騒がないで欲しい」と言はれたのは有名な話だ。また、拉致被害者救出運動が盛り上がり始めた時期の阿南惟茂、槇田邦彦、田中均の各氏など代々のアジア大洋州局長らは、日朝国交正常化の方が大事だと言つて、拉致被害者救出運動を潰さうとした。拉致以外でも外務省が対中・韓・北などで日本国のために頑張つてくれたといふ話なんぞ殆ど聞いたことがない。

確かに、外務省は「戦争」を避けるためにある。しかし、慰安婦問題でも領土領海問題でも、不当なことをやられたら毅然として「倍返し」の言葉で応酬するべきだ。それをせずに卑屈に事を矮小化しようとするだけでは、「情報・歴史戦」といふ「戦争」をさらに引き起こすことにしかならない。

最近の例で言へば、「産業遺産情報センター」(新宿区)の端島(はしま)(軍艦島)に関する展示資料をめぐり、韓国のマスコミはもとより、朝日、毎日、共同通信、ＮＨＫなどが批判を行つてをり、その愚昧で下劣な批判の詳細は加藤康子(こうこ)センター長の報告(『Hanada』九・

十月号や『正論』十月号）に譲るが、最も聞き捨てならぬのは、外務省の担当者に加藤女史が状況を説明すると、「少し刺激が強すぎる。これは外務省の仕事じゃないなぁ」と答へてゐることだ。「いまは私一人で（略）反論していますが、政府は及び腰です」（『Hanada』十月号）と言ふ女史の悲痛な声を外務省幹部や政府は何と聞く。

既に火蓋が切つて落とされてゐる「情報・歴史戦」に勝つためには外務省の力が必要だが、安倍政権下においても出来なかつた外務省改革を（出来なかつた理由については本書百三十頁以下参照）茂木敏充大臣にできるだらうか。人事における東大や京大の法学部偏重を改めない限り、できないのではなからうか。東大卒の中山女史も慶大卒の加藤女史も共に文学部であつた。これは偶然なのだらうか。

［追記］

問題提起のつもりでこのやうに書いたが、勿論、出身学部の違ひが決定的であるとまで言ふつもりは無い。個人の思想、信条、能力などの方が決定的な意味を持つであらう。また、このお二人の場合、外務省出身でないことも幸ひしたかも知れない。だが、敢へて右のやうに書いたのは、学歴エリートにありがちな「臆病な自尊心と尊大な羞恥心」（中島敦「山月記」）の持ち主とでも評したい人物が外務省には多いことが数々の証言から明らかだからである。

特派員経験が長く、在外日本大使館や外務省をよく知るジャーナリストの古森義久氏は書いてゐる。「サイゴンで東郷〔和彦〕氏の後任となった奈良靖彦という大使は一橋大学の出身だった。その奈良大使があるとき、ちょっとしたミスをした。そのことについて私がある書記官と話していると、その書記官がふっともらした。／「いやあ、やっぱりあの人は東大を出ていないからだめなんだよ」／私は思わず耳を疑った。こんな子供っぽい独善の言葉が社会人の大人の口から平然と出ることが一瞬、信じられなかった。（略）その書記官は当然ながら東大卒のキャリア、三十代前半の外務官僚だった」と。普通の感覚の人間なら、「こんな奴はさすがに外務省でも出世できないだらう」と考へるけれども、実際はさに非ずで、古森氏によれば「その書記官はその後、順調に出世コースを歩み、大使ポストを二度歴任した」とのことである（『亡国の日本大使館』小学館）。

こんなことを読んでもなほ、六千人あまりが在職してゐる外務省なのだから中にはをかしな人間も少しはゐるだらうし、一方、立派な外交官も多数ゐるだらうと普通は考へる。しかし、残念ながら否である。特にキャリア組が酷いやうだ。外務省の「罪」を戦前まで遡り剔抉した『外務省の罪を問う——やはり外務省が日本をダメにしている』（自由社）の中で、著者の杉原誠四郎氏（武蔵大学他元教授、執筆当時は「新しい歴史教科書をつくる会」会長）も「外務省はやはりキャリア組の外交官の幸せのために存在するところになっている」と書いてゐるのだ。このやうな評価が下される組織は滅多にあるものではない。外交官の試験制度も含めて抜本的な改革が必要であらう。

もう一つ、内部からの証言もある。昨年九月から新しい駐中国大使に就任した垂秀夫氏は所謂「チャイナスクール」出身だが、対中強硬派として衆目の一致する外交官である。人柄も豪快らしいが、そんな氏に向つて『産経新聞』記者の阿比留瑠比記者が、「中国大使になられたら?」と水を向けると「そんなことは絶対にあり得ない。俺みたいな現場を駆けずり回るタイプは外務省では出世しないんだ」と答へたといふ(「叩き上げ菅総理をバカにした川勝平太静岡県知事の不遜」『WiLL』令和二年十二月号)。それでも大使になれたのだからご同慶の至りだが、外務省内部についてはさもありなんといふ話ではなからうか。

第二十八回 恐るべし、日本共産党

令和二年十一月号

「日本学術会議」(以下、「会議」)の現今の問題点は保守系メディアにおいて洗ひ浚ひ剔抉されたやうに見える。結論を言へば、福井県立大学の島田洋一教授の言ふやうに「あの組織に自己改革は不可能」(『時事評論石川』十一月号)なのだから「廃止しかない」(『産経新聞』正論欄、十月二十二日)と思ふ。が、それらの議論とは別に、小欄は歴史的経緯が詳細に記された書籍を入手した。某女子大の図書館から借り受けたものである。それは「時事問題研究所」が編集した『赤い巨塔――「学者の国会」日本学術会議の内幕』と題されたB六判二一三頁、ソフトカバーの書籍である。発行は丁度五十年前の七月で、発行人は馬場金治（研究所長）とある。本の奥付に所謂「出版社」の記述は見当たらないので、この「時事問題研究所」が自ら編集して印刷出版したものらしい。日本中の大学で二十九校しか所蔵してゐないやうであるし、ネットの「日本の古本屋」でも見つけることができないので稀覯本と言へるかも知れない。

書名からして共産主義を暗示してゐる訳だが、驚いたことに、「いま学術会議に対して何らかの措置を講じないならば、われわれは次の時代に対してたいへんな不幸な遺産を残すおそれがある。／そういう危機感から本書を発行した」と「序にかえて」にある。五十年も前に「会議」の行く末を危惧した識者たちがゐたのである。さらに「第一回の選挙いらい今日まで二十余年、この学術会議ほど識者の評判の悪い組織もない」とあるから、何と発足当時から問題視されてゐたことが分かる。

小欄も多少は「学術」に関した仕事をしてゐるが、「会議」についてはどんな団体か良く知らなかつた、と言ふより興味がなかつた。が、平成二十九年三月に「会議」が出した「軍事的安全保障研究に関する声明」をたまたま読むに及んで一驚した。何と馬鹿げた声明かと。所謂「軍事技術」と「民生技術」は截然と分かれるものではないことは中学生でも分かる。アルフレッド・ノーベルのダイナマイトがその好例だ。何より、特定の研究を禁じることは「学問の自由」を謳つた憲法に明白に違反する。

小欄は初め、この声明は単純で声のでかい空想的平和主義者たちの出したものであると思つたのだが、右の本を読むと、だいぶ様相が異なる。昭和二十一年に結成された「日本民主主義科学者協会」(戦前のプロレタリア科学研究所や唯物論研究会の主要メンバー中心)と、その後継組織で今も存在する「日本科学者会議」などを通じて、日本共産党は自分たちの「科学技術政策」の思想と、共産党細胞を組織的に「会議」に送り込み、その後「ほぼ科学者会議、日本共産党の主導権下」に置いたのである。そして、「いくら良識派がいたからといつて、組織を持たない悲しさで、共産党勢力に力関係で圧倒されてしまう」といふ状況を作り出したのだ。これは今なほ変はらないと思はれる。

国会の現有議席は衆参合はせて二十五しか無いことを考へると、「恐るべし、日本共産党」である。

［追記］

その後調べたところによれば、『赤い巨塔』発行人の馬場金治といふ方は『大阪朝日新聞』(昭和十五年十一月十六日）において「大本営海軍報道部員兼海軍軍事委員として民間にも馴染みのふかい馬場金治中佐」と紹介されてゐて（なぜ「馴染みのふかい」と書かれてゐるかは不明）、また「上海市外戦当時第一線隊長として活躍」とも書かれてゐるやうに、軍人として活躍した方である（神戸大学経済経営研究所「新聞記事文庫」）。「時事問題研究所」は当時の共産主義勢力に対抗した保守系の団体であらうと思はれる。この本の最終頁にある「好評既刊　在庫僅少」の広告欄には、『法律夜話』林修三（前内閣法制局長官）や『全学連』西義之（東大助教授）などの名前が見えるし、「日本の古本屋」で確認できる書名一覧から、反共の保守系団体であることは間違ひない。

さて、日本学術会議の問題はある意味で面白かつた。と言ふのは、任命拒否された六名や他の会員、それに左派メディアや野党が向きになつて任命拒否を批判すればするほど、学術会議に様々な問題があることが一般国民の目にも明らかになつたからである。一つには、「学問の自由」を声高に主張してゐるくせに、各種声明が明白に「学問の自由」に抵触してゐること。二つには、「平和主義」を標榜してゐるくせに、選りに選つて中国科学技術協会との協力促進の覚書に調印したり、中国共産党が推し進める「千人計画」に協力してゐること。三つには、学術会議が閉鎖的で既得権益にしがみついてゐること、などである。

こんな組織に最近は毎年十億円超の予算を注ぎ込んで来たこと自体、歴代政府の責任は重いと言へるが、『赤い巨塔』によれば、吉田茂は「学者をよく視ていた」と評される首相で、昭和二十七年ごろ、「日本学術会議は政府の予算によって運営されながら、政府批判や政治的論議ばかりやっている」と、行政機関の学術会議を民間に移管する構想を持ち出したことがあるさうだ。だが、二年後（昭和二十九年末）、吉田内閣が倒れたことにより、この構想は消散してしまつたのだつた。しかし、今回は解散か民営化のいづれかであらう。

『朝日新聞デジタル』（令和二年十月二十九日）によれば、約五百の学会、協会が任命拒否について抗議声明を出してゐるらしい。調べてみたところ、私の知人や学友も少なからず所属してゐる「日本フランス語フランス文学会」も「日仏哲学会」も声明を出して「学問の自由」云々と言つてゐる。政治的に腐蝕すると、人間ここまで思考停止状態になるのかといふ良い見本だ。一日でも早く正気を取り戻して欲しいと願はずにはゐられない。

ネットのWireless WireNewsといふメールマガジンで、科学史家として著名な村上陽一郎東大名誉教授が書いてゐる（令和二年十月七日）。「実際、今回の件で自分の学問の自由を奪われた人は、一人もいません。（略）〔かうした状況で〕『学問の自由』を訴えるのは、完全に問題のすり替えであって、学問の自由の立場からすれば、却ってその矮小化につながる恐れなしとしません。むしろ、学術会議の会員になること自体が、ある立場からすれば、学問の自由に反する行為になる可能性さえあるのですから」。これが常識的な判断といふものである。

それにしても、「恐るべし、日本共産党」である。「左翼と戦ふ」を旗印としてゐる杉田水脈議員は、科学研究費分配問題やLGBT問題で勇名を馳せた後も「それなら結婚しなければいい」といふ国会でのヤジや「女性はいくらでも嘘が吐ける」といふ言葉で激しい批判に晒された。が、特に後者では、「ああいふ」といふ個人を特定して言つた言葉が一般化されて攻撃されたものである（黒川伊保子氏との対談「男と女はいつも不都合で、すれ違う」における竹内久美子氏の発言。『Will』令和二年十二月号）。私自身は確認できなかつたのだが、竹内氏の言葉を信じれば、杉田氏は典型的な所謂「切り取り報道」の犠牲者であると言つて良い。言つてゐることは間違つてをらず、勿論、「議員辞職」を求められるやうな内容ではない。それに、氏の『なぜ私は左翼と戦うのか』（青林堂）を読むと、精力的な勉強家であり、高福祉国家デンマークへの疑問、移民問題の危険性の指摘、人権主義の欺瞞、外務省の不作為など、その主張は悉く正鵠を射てゐることが分かるが、その本の第一章は「地方自治体は共産党に支配されている！」である。そこでは女史が西宮市役所に就職してからの体験談が詳細に書かれてゐて、共産党系の自治労連によつて市役所が支配されるとどうなるか、驚くべき報告がなされてゐる。即ち、職員になるとほぼ強制的に組合員にさせられ、最初の給与から組合費が天引きとなり、係長に昇進すると「しんぶん赤旗日曜版」の購読が強制され、断ると共産党市議による執拗で陰湿な苛めが始まる、といつた具合である。

私自身も宮崎大学に赴任するとすぐに当時の社会党系と共産党系の二つの組合から誘はれ、勿論きつぱりと断つたが、幸ひ具体的な苛めには遭はなかつたものの、三十年近くを過ごした大学なのでさすがに嫌がらせは経験した。

一つは友人のフランス人でドキュメンタリー映画作家ダニエル・モロー監督が、比叡山に伝はる天台宗僧侶の「千日回峰」といふ荒行を記録した『阿闍梨…山の道』を完成させたので、大学に招聘して学生や教職員に公開した際に、予め廊下などに張り出しておいたポスターが剥がされたこと、もう一つは拉致被害者の横田めぐみさんの映画『めぐみ――引き裂かれた家族の30年』を県が主導して鑑賞会を行ふ際、協力依頼を受けてやはり廊下に張り出しておいたポスターが二度に亙つて剥がされたことである。

目撃した訳ではなく、従つて証拠もないが、先づ間違ひなく左翼教員の仕業である。

第二十九回　「みなさまのＮＨＫ」は本当か

令和二年十二月号

去る十月、ＮＨＫの「視聴者のみなさまと語る会」にリモートで参加した。

そんな企画があることさへ知らなかつたが、旧知の長谷川三千子埼玉大学名誉教授（Ｎ

ＨＫ経営委員）から、「参加者が少ないので知り合ひに声を掛けて欲しい」旨の要請があり、何人かに連絡し数人の希望者があつた。ＮＨＫ宮崎も動員に努力したのだらう、最終的には小欄の地元の合計三十三名が応募、実際に参加したのは二十四名だつたが、何とか格好がついた。ＮＨＫ側は司会者や理事など六名が参加した。

参加者は予め要望や意見を求められ、私は①政治的偏向が著しい（放送法第四条違反）②チャンネルが多過ぎる。その所為か再放送が多い③職員の給与が高過ぎる。国家公務員に準ずるべし④受信料も高過ぎる。以上の四点を書いて提出した。ところが、予めの論点整理と称して、議題が「コロナ禍でＮＨＫに期待すること」、「ネット時代のＮＨＫ」、「地方放送のあり方」と決められてゐて、小欄の意見は「その他」に回された。

役職者の自己紹介があつたり、放送機器の故障（笑）があつたりして、正味七十分程度の議論となり、しかも全員に喋らせるので我々の発言は基本的に一人一回、二、三分程度となつた。漸く私の番が来たが、時間が無いので①に絞つて話した。「あいちトリエンナーレ」に対する報道は、「慰安婦少女像」の話に問題を矮小化し、昭和天皇や特攻で散華した将兵への侮辱といふ最大の問題点を報道しなかつた。また、「放送法遵守を求める視聴者の会」の資料を提示しながら、安保法制についてのニュースで、反対派の言ひ分により多くの時間を割いたことを批判した。

それに対して、もう一人出席してゐた経営委員（委員長職務代行者）村田晃嗣同志社大学教授は、「時間的に半々に伝へれば公平といふものでは必ずしもない」旨の発言を返して寄越した。氏はＴＶの討論番組でもさうだが、小賢しいことを言つては他人の話を混ぜ返すのが好きな人間だ。そんなことは言はれずとも分かつてゐる。報道内容を詳しく論ずる時間はない。偏向を端的に示すのには放送時間を示すのが手取り早いのだ。ＮＨＫの手先かと思つたが、最後には「様々な視点から情報や分析が提供され議論されるべきだ」と教科書的にまとめてゐた。

尚、長谷川氏よりメールが届き、「理事の一人が真正面から受け止めてゐた」とあつたので参加した甲斐はあつたのかも知れない。また、事後もアンケートがあり、私はテロップの混ぜ書きの愚を指摘し、菅首相発言の「ふかん的」は漢字でこそ意味が分かる、振り仮名を振れば何の問題もなく、中高校生の勉強にもなると書いた。数日してテレビニュースを見たら、そうなつてゐた。果たして小欄の意見を取り入れたのだらうか。まさかとは思ふが…。

［追記］

小山和伸神奈川大学教授の『増補版　これでも公共放送かＮＨＫ！』（展転社）を読むと、Ｎ

HKの発する詭弁の一つに、「公平な報道とは必ずしも時間数の平等とは限らない」といふのがあるさうだ。村田晃嗣氏の右の台詞と同じである。思はず笑つてしまつた。

さて、周知のことであるが、公共の電波を使ふ放送局には「放送法」に従ふことが義務付けられてゐる。自由に――勿論、無限ではないが――意見を主張できる新聞雑誌とはそこが異なる。

放送法第四条は、全十一章、百九十三条まである「放送法」の第二章「放送番組の編集等に関する通則」の中にあり、次のやうなものである。

第四条　放送事業者は、国内放送及び内外放送（以下、「国内放送等」という。）の放送番組の編集に当たっては、次の各号の定めるところによらなければならない。

一　公安及び善良な風俗を害しないこと。

二　政治的に公平であること。

三　報道は事実をまげないですること。

四　意見が対立している問題については、できるだけ多くの角度から論点を明らかにすること。

NHKの報道姿勢は特に二、三、四に違反してゐることが多いが、だいぶ以前のこと、ETV（教育テレビ）で、ディスコ風に設へたスタジオに音楽を流し、ミニスカートを穿いた年端もゆかぬ少女たちが、夢遊病者のやうに躍り続ける光景を流すだけといふ放送を見たことがある。スタジオには何やら「スモーク」のやうなものが薄ら流れてゐて、まるで阿片パーティーのやうなものを想像させる演出だつた。しかも深夜の番組だつたと記憶する。見てゐて気持ちが悪くなりスイッチを切つたので何のための番組かは分からなかつたが、これなど「善良な風俗を害」した番組だと言へよう。

ともあれ、ＮＨＫが如何に偏向した放送を垂れ流してゐるかを知りたい読者には、小山教授の上掲書を薦めたい。

この本で知つたことだが、ＮＨＫの本局には中共の宣伝機関で国営の「中央電視台日本支部」（「中国中央テレビジョン日本支局」）が同居してゐるとのことである。フランスの「ル・モンド」もアメリカの「ニューヨーク・タイムズ」も築地の『朝日新聞』の社屋に同居してゐる。この事実にも十分驚かされるが、これらは新聞社で私企業である。問題の大きさが全く違ふ。小山教授は書いてゐる。「ＮＨＫが中共国による日本支配、共産革命をマスコミの宣伝工作を以て達成しようとしている、あるいは少なくとも実質的に荷担することに同意している体質が窺われる」と。中共への忖度や中共との癒着は当然あり得ると思はれる。もしさうでないと言ふなら、早速「同居」を解消することだ。「瓜田に履を納れず、李下に冠を正さず」と言ふではないか。

令和二年一月に就任した前田晃伸(てるのぶ)新会長は「値下げありきで、番組の質が落ちたらどうすんのよ、と。番組を全部ボロボロにしちゃえば、値下げはすぐできる。コストをぐんと落として、半分以上を再放送にしちゃえばいいわけだ。だけど、それは違うでしょう」と『週刊文春』（十月二十九日号）のインタビューに答へてゐる。「番組の質」とは良く言つたものだ。問題の所在が分かつてゐるのかゐないのかは分からぬが、「再放送にしちゃえば」云々のやうに他人を舐めたことを言ふ人物が会長になる組織なのだと言ふことを我々は知つておく必要がある。剰余金（内部留保）は数千億円を有し、職員の平均年収が一千七百五十万円（小山氏）といふＮＨＫだ。ネットでは一千七十四万円といふ数字が出てゐるが、さうであつても平均給与をせめて国家公務員並み（七百数十万円）にしただけで、およそ三千億円の経費節約ができるのだ。無論、「質」の良い番組を作つてゐるのなら、他人の「お櫃」に手を突込むやうなことは言はずに済ませたいが、放送法第四条に違反する番組を垂れ流す現状では致し方ない。

　我々のできる抗議の方法としては、当面、受信料支払ひ拒否しかないであらう（メールで意見を送つても、誰が読むのか不明であり、いつも梨の礫だからである）。さうすれば、時々集金人が――ＮＨＫの職員に非ず、下請け会社の社員だが――やつて来るので、理由として「放送法第四条違反」を挙げ、さういふ抗議があつたことを帰つて幹部職員に伝へるやうに言ふことで抵抗したい（そのうちに、「スクランブル化」や「ＮＨＫ拒否アンテナ」が一般的になるのではなからうか）。どうしてそこまでせねばならないのか。小山氏の言葉を借りれば、『性奴隷制度を強要した日本』なる、国家の正義と名誉の根幹に関わるデタラメの火付け役が、ＮＨＫであったことは絶対に忘れてはならない」からである。

第三十回　やはり「みなさまのＮＨＫ」に非ず

平成三年二月号

前回、「みなさまのＮＨＫ」は本当かと論じたのだが、その後早速、さうではないと言ふしかない「事件」を知ることになつた。

本欄でも十月号の「絶望的なり、外務省」で扱つた長崎の端島（所謂「軍艦島」）の問題である。保守系月刊誌御三家『正論』『WiLL』『Hanada』が揃つてその一月号でＮＨＫの批判記事を載せてゐる。

それらによれば、問題の発端は昭和三十年にＮＨＫで放送された番組「緑なき島」で、全体的には、「運命共同体」として生きた住人たちの生活の明るい面も撮つてゐたが、ガスが多く危険の多い海底坑道内での撮影が出来なかつたらしく、別の炭鉱でインチキ・ヤラセの撮影をした。問題はその後、朝鮮半島出身者たちがそのインチキ映像に合はせた証言をするやうになつたことだ。うつ伏せで掘つたとか、褌一丁で働いたとか、端島炭鉱の真実を知らない人間の与太話である。実際には、うつ伏せで掘るやうな狭い場所は無く、体を怪我から守るため作業服の着用が義務付けられてゐたのだ。

その後、実際にそこで働いたと言ふ「証言者」が何人か出て、そのうちの一人に徐正雨（ソ・ジョンウ）といふ戦後も長崎に残り「強制労働と被爆の語り部」として活動した人物がゐた。

何を「証言」するかは想像のつくこの人物を改めて取り上げてNHK総合テレビが制作したのが、「実感ドドド！追憶の島〜揺れる〈歴史継承〉〜」といふ番組である（令和二年十月十六日、九州・沖縄限定放送）。

「ドドド！」などと頭の程度を疑ひたくなるやうな題名だが、それはともかく、NHKの取材姿勢が最初から偏向してをり、端島は「地獄島」であり「負の遺産」があつたといふ先入観を隠しもしないのである。多くの日本人島民の証言については、あたかも「加害者側の証言は当てにならない」といふ態度であり、一方、証言の裏付けが取れない、もしくは虚偽であることが明白な証言も「被害者」のものなら重用するのである。それにまた、竹内康人といふ朝鮮総連と深い仲にあり、数々の反日活動で知られる人物の話を——活動家であることを隠蔽しつつ——使ふ。だが、「産業遺産情報センター」長の加藤康子氏によれば、彼の話は伝聞推量でしかなく、「一次史料や私が聞き取り調査した元島民の証言とは大きく違う」（『Hanada』一月号）とのことである。放送法違反どころではない。もはや犯罪である。

加藤氏によれば、NHKは「軍艦島の遺産価値は負の歴史にある」といふ固定観念に毒されてゐて、もはやＮＨＫは「ＫＢＳ（韓国放送公社）どころか『朝鮮中央テレビ』の様相を呈しています」と書いてゐる。

加藤氏は「どんなネガティブな意図の取材であっても受けることにしています」と言ふ堂々たるセンター長である。そんな誠実な氏の言葉を最初から「切り取り」で貶めようとするのがＮＨＫであり、その様子は「軍艦島の真実」のホームページや YouTube で見ることができる。ＮＨＫ新会長に感想を聞きたいものだ。

［追記］

「軍艦島の真実」のホームページでの動画を見ると、水嶋大悟ディレクターは明らかに加藤センター長を陥れようとして、彼女の発言を切り取つてゐる。それが奏功して、センター長が「負の歴史」を一所懸命隠匿しようとしてゐるやうに見えるのだ。実に汚いやり方である。

センター側がこのインタビューの様子を録画しておき公表したのは非常に賢明だつたと思ふ。公開後、ＮＨＫにも相当数の抗議が寄せられたらしく、水嶋氏が加藤氏を懐柔しようとでも思つたのか、面会を求めて来た。そこで加藤氏がその面会の様子も録画させて欲しいと言ふと、「それは困る」と断つて来たさうである。

この番組の制作関係者たちもまた、私の言ふ「病理学の対象」である（本書百十八頁参照）。

多少のことはあつたに違ひないとしても、朝鮮半島出身者の「証言」とは異なり、自分の同胞たちが彼らを苛めもせず搾取もせずに共存してゐたと聞けば嬉しいはずなのだが、彼らは違ふ。彼らは理由も無く日本人を見下し、冤罪を着せながら「負」や「悪」を剔抉したつもりになり、たぶん自分には「心」があると思ひ、偉くなつたやうな感覚に喜びを見出してゐるのだと思はれる。パスカルは「人はしばしば自分たちの空想を心と取り違へる」と言つてゐる（『パンセ』）。

ＮＨＫはもう報道機関の看板を下ろして、歌番組でも作つてゐれば良いのではなからうか。

第三部　インタビュー記事

国内問題としての拉致問題
――日本人よ、神聖なる「怒り」を取り戻せ

『祖國と青年』平成十二年四月号

インタビュアー　鈴木由充氏（現・同誌編集長）

今、拉致問題を巡る情勢が動いている。

昨年十二月三十一日、韓国で元北朝鮮工作員・辛光洙（シンガンス）が恩赦で釈放された。辛は大阪の原敕晁（ただあき）さんを拉致した実行犯。拉致事件真相究明のため、辛の身柄を日本に引き渡すよう求める運動が起きている。

一方、拉致問題が国民の大きな関心にのぼって以来、北朝鮮への食糧援助を控えていた政府が、再びコメ支援へと動き始めた。

コメ支援によって北朝鮮は拉致問題で譲歩してくるのか。拉致問題解決を阻んでいるものは何か。そして解決のために必要なことは。

原さん拉致の舞台となった宮崎県で、「北朝鮮に拉致された日本人を救出する宮崎の会」

代表として救出運動に携わる宮崎大学・吉田好克助教授に聞いた。

コメは北朝鮮人民の口には届かない

——今年（平成十二年）三月七日、日本政府はＷＦＰ（世界食糧計画）を通じて北朝鮮に十万トンのコメ支援をすることを決定し、十三日、北京での日朝赤十字会談でその旨が確認されました。

北朝鮮に拉致された方々のご家族や、救出運動に携わる方々は「拉致問題に実質的進展が無い限り食糧支援は一切行わないこと」を一貫して政府に要請しているわけですが、今回のコメ支援決定について、先生はどうお感じになっていますか。

吉田　無駄なことをまたやっているという感じがします。外務省あたりは、北朝鮮側が「行方不明者」（！）の調査を約束したことをもって、「拉致問題に手ごたえがあった」とか「解決への道筋がつきそうだ」などと評価しているようですが、全く楽観的としか言いようが無い。

かつて、朝鮮赤十字は同じく調査を約束して、その結果「そんな者はいなかった」と答えているわけです。今の交渉のやり方はまったく無意味で、北朝鮮に拉致を認めさせるということはあり得ません。言葉一つをとっても、向こうは「拉致」を「行方不明者」と言い換えて、シラを切ろうとしているのですから。それに対してこちらは反論一つしない。もうその段階で負けています。本当にちょっと信じられないような弱腰外交です。

――北朝鮮に対するコメ支援は、拉致問題と切り離して人道的立場に立って行うべきだという意見もあるようですが。

吉田　私どもがコメ支援に反対しているのは、それが結局現政権の延命、つまり金正日を助けることにしかならないからです。実際、最近、援助物資がどのように使われているかの検証ができないという理由で、北朝鮮で活動するＭＳＦ（国境無き医師団）や色々なＮＧＯが相次いで撤退しています。

――北朝鮮に援助しても、すべて軍や党に吸い上げられてしまうということですね。そもそも北朝鮮当局が核ミサイル開発のための莫大な費用を回すだけで食糧危機は回避できるはずです。

吉田　女子中学生の白昼夢みたいな観念的なことで「人道支援」などと言うのは、却って罪です。援助をするなら、せめて査察団を入れてコメがどこに行くのか調査するくらいのことはしなければ。きちんとした見識を持って相手の企みや権謀術策を見抜き、対処して行く、そういう政治のダイナミズムを今の政治家はどうも分かっていないようです。

国際政治において、理に合わないこと、汚いことを、向こうがするのは仕方無い。北朝鮮も彼らなりの国益というものを一番に考えてやっているわけですから。問題は、日本側がそれを拒絶できずに、唯々諾々と受け入れ、譲歩し続けているということです。日本の政治家たちは、果たして日本の国益ということを本当に考えているのだろうか。国益というものを考えれば､今の北朝鮮と国交を結んでも得られるものは何も無いはずなんですが。

――日朝共同発表の内容を見ると、北朝鮮側は拉致問題にぶっつける形で、「昭和二十年以前に行方不明となった朝鮮人の安否を調査しろ」と主張しています。

吉田　相手は歴史まで持ち出して拉致問題を帳消しにしようとしているわけですね。これはもう一種の思想戦です。ですから、政治家たちはもう少しきちんと勉強した上でものを言って欲しいと思います。

日本は戦争を仕掛けられている

――政府は「拉致」を「行方不明者」と言い換えて交渉したり、そもそも拉致問題がなぜ赤十字会談で扱われるのかということもありますが、拉致問題の重大性、深刻性がまったく分かっていないように見受けられます。改めて、「拉致問題とは何か」についてお話しいただけませんか。

吉田　仮に北朝鮮にマフィアがいて、日本人が誘拐されたというようなことでしたら、これは単なる「誘拐事件」です。しかし、「拉致」は金正日の命令によって行われた国家犯罪なのです。日本人拉致の指令が国家元首から出ているということは、昭和六十年二月に韓国で逮捕された辛光洙元工作員も、亡命した安明進元工作員も証言しています。北朝鮮のスパイが金正日の指令で日本に潜入し、日本人を拉致して行く。これはもう宣戦布告無き「戦争」を仕掛けられていると考えるべきです。ですから、当然自衛隊の出動も考えるべきだと思います。

ところが、私ども（「救う会全国協議会」や「拉致被害者家族連絡会」）が昨年十二月二十七日、河野洋平外務大臣と面会した際、氏は「日本はこれを武力では解決できない」と言いました。交渉しか無いというわけです。（因みに、彼は「話し合い」という言葉を連発していて、拉致されている国の大臣がそんな学級会みたいな言い方をしていることが非常に気になりました。）これは考えてみれば大変な問題発言で、我が国は自国民が悪逆非道に拉致されても何もしませんと内外に宣言したに等しい。これでは同種の犯罪を誘発しかねません。

私は拉致問題は国内問題だと考えています。もちろん敵は北朝鮮ですが、主権が侵害され、国民が非道な仕打ちを受けているのにも拘わらず、我が国は国家として当然採るべき手段を採ることができないでいる。これが最大の問題なのです。

戦争も外交手段の一つです。にも拘わらずその手段に訴える覚悟ができない。ここには、河野洋平外務大臣の発言に象徴的に表れているように、「国権の発動たる戦争と、武力による威嚇又は武力の行使は、国際紛争を解決する手段としては、永久にこれを放棄する」という憲法の呪縛がある。この問題は、最終的には憲法の問題になってくると思います。

「怒り」を忘れた戦後の日本人

――憲法の呪縛は、単に「戦争アレルギー」ということだけではなく、決断や覚悟そのものができないという、精神的な面をも深く蝕んでいるような気がします。日本から北朝鮮へ不正に流れているカネやモノをストップさせることさえできないわけですから。

吉田　戦後の日本人は、「怒り」を忘れてしまったんです。例えば、この間、新潟で少女監禁事件が発覚しましたが、その報せに接して何を感じましたか。まっとうな人間であれば、犯人に対する「怒り」を感じるはずです。そして、その怒りは、九年間も囚われていた少女に対する同情から発している。そういう人道主義的な感覚、或いは正義感といったものがなければ、犯人に対する怒りは沸いて来ません。怒りというものは、負の感情だけではなく、むしろ「神聖」なものでもあるのです。

同じように、横田めぐみさんをはじめ多くの同胞が囚われているということに、本当に心に涙するような気持があれば、それは当然北朝鮮に対する「怒り」になるわけです。その怒りを忘れたということは、他人に同情することを忘れてしまったということです。そこには今の日本人の極めて没倫理的、没道徳的な生き方が浮かび上がって来る。自分さえよければいいという発想をする人が増えてきているということではないでしょうか。

――横田早紀江さんの『めぐみ、お母さんがきっと助けてあげる』（草思社）を読んで、最も考えさせられたのはその点でした。この本には、娘さんが拉致されたことの悲しみとともに、そのことを見て見ぬふりをしようとする「精神を失ってしまった日本人」に対する悲しみが綴られています。

早紀江さんは次のように書いておられます。

「長い年月、日本から拉致された若人たちが、息を詰めるように暮らしている国のことを思いながら、予想されていたはずの拉致問題が、このように長いあいだ陽の目を見ることがなかった日本の国のことを、私はしみじみ哀しく見つめています。

私たちの幼い頃は、私の父も含めて一家の父親の権威は強く、卑怯なこと、嘘をつくこと、正義感の無いことなど、人間として最も基礎となる礼節に欠ける問題については、日々厳しく躾けられたものでした。生活の中でのさまざまな成長の段階で、醜い自我が増長したとき、父は女の子であっても容赦なく、手厳しい導きをしたことを覚えています。

また、どのような小さな命をも大切にすること、山川草木を愛する心、風や雲や大自然の美しさに心を寄せ、見えないけれど、すべての命を育んでいる何ものかへの畏怖の念と感謝の心を、父も、そして母も、あらゆる生活の場面で教えてくれました。

戦後、日本は戦争による未曽有の惨禍を乗り越えて復興し、今や日本には豊かなものが溢れ、日本人は、平和で、のどかで、満ち足りた生活を営むことができるようになりました。しかし、一方で日本には、本当に大切なものが、影もかたちもなく消え去ってしまった気がします。

今、私たち家族にできることは、政府に対して救出を訴えつづけていくことしかありません。日朝交渉に当たられる政府の方々に、私は言いたいのです。

皆さまの中には私たちと同世代の方も多くありましょう。過ぎし日、日本人としての誇りをしっかり持って私たちを育んでくれたそれぞれの『父性』がよみがえってきます。私は今、その頃の凛然とした姿の日本の男性の心意気を思いながら、本当にいさぎよい心で、不当に連れ去られた日本人同胞を、一刻も早く真剣に救出していただきたいのです。」

吉田　拉致問題の難しさは、やはり日本人の没倫理性、没道徳性に関わっているところにあると思います。しかし、この問題を本当に解決することができたなら、その時日本人はかつて持っていた倫理的な行動力や、命がけで国を守る気持ちというものを取り戻せるはずです。逆に言えば、我々がそれらを取り戻すことができなければ、囚われの人たちを奪還することはできないでしょう。

拉致実行犯・辛光洙の身柄を日本へ

――現在「北朝鮮に拉致された日本人を救出する宮崎の会」で取り組まれている活動についてお聞かせ下さい。

吉田　私どもは今、韓国で釈放された辛光洙を我が国に召喚し、取り調べるよう、関係当局に働きかけているところです。

――辛光洙と言えば、昭和五十五年、当時大阪の中華料理店に勤めていた原さん（当時43歳）を拉致した北朝鮮の工作員ですね。辛はその後原さんになりすましてパスポートを取得し、日本の内外を行き来していましたが、昭和六十年、韓国に潜入したところを逮捕され、韓国の当局によって、原さん拉致の事実が明らかになりました。

吉田　辛が釈放されて韓国にいるという情報が一月ごろにあり、私どもは二月三日、宮崎県の県警本部を訪ね、その問題に非常に詳しいと言われている警部さんに会いました。その警部さんは状況をよくご存じで、東京の検察庁や警視庁が実況検分に来る度に青島あたりを案内した方でした。それで先ほど言いましたような要望を、政府や警察庁、公安当局にきちんと文書で督促していただきたいということを伝えました。

続いて二月二十五日には宮崎県の県議会議長にお会いし、陳情書というかたちで、宮崎県でも有数の風光明媚な観光地である青島海岸で拉致が行われたということをよく認識していただくよう申し入れをしました。

――日本人を拉致した実行犯が、その犯行を自白した例はこの辛光洙だけです。

吉田　唯一の生き証人で、非常に重要なカギを握っている人物ですから、これを放っておくということは考えられません。日本に召喚し、捜査、立証することができれば、もう拉致「疑惑」などという言葉を使わないで済みます。

辛については、日本の当局は常に韓国側から渡される資料を情報源にしており、直接取り調べたことは一度もありません。辛が捕まったのは、国家安全法というスパイ防止法的なものによるもので、取り調べの過程で原さん拉致の事実が明らかになりました。が、そのこと自体は韓国では大きな罪に問われていないようです。辛は最初は死刑判決でしたが、幾度かの恩赦で減刑され、昨年末の「ミレニアム特赦」でとうとう釈放されてしまいました。

しかし、韓国当局があまり関心を示さなかったからといって、日本側がそのまま放っておくなどということは考えられません。韓国では一応釈放された人間ですから、犯罪人扱いするわけにはいかないのでしょうが、本人を説得するなり、韓国当局に働きかけるなりして、日本に身柄を渡してもらい、もう一度大々的に取り調べを行うべきです。そして、その捜査結果を日本国民にきちんと公開してもらいたい。そもそも原さんの現在の状況については全く分からないのですから。

この拉致事件は、私どもの宮崎県が犯罪の舞台であり、今年は原さんが拉致されて二十年、辛が逮捕されてから十五年という節目の年でもありますので、これからも県議会や市議会をはじめ、ありとあらゆる関係各所に訴えていきたいと思っています。

怒りの声をあげ続け、世論の形成を

――救出運動の今後の展望についてはいかがでしょうか。

吉田　まず、これだけ盛り上がっている運動の火を消さないということが大切だと思います。

この問題は、最近ではマスメディアでもかなり報道されるようになり、河野外務大臣や外務省も、口先だけかも知れませんが、「拉致問題は日朝交渉の最優先事項だ」と一応言うようになりました。僅か三年前には考えられなかったことです。拉致された方のご家族が外務省を訪ねても、ヒラの係り員が対応していたのですが、今は外務大臣がすぐに会うというところまで来ました。その背景には世論の高まりということがあり、やはり全国から寄せられた百三十万筆を超える署名や、私どもの全国的な救出運動が無視できない一つの大きな力となっているのだと思います。

実際に私が大学の教室でこの問題について話しますと、「横田めぐみさんなら知っている」と、三年前に比べるとかなり認知度が高まっているのを感じます。また、街頭で署名活動をしていても、中学生ぐらいの少年少女から年配の方に至るまで多くの人たちが署名してくれます。しかし、全国民的なレベルで見れば、まだまだこの問題は十分知られていないと言わざるを得ません。

その責任の一端はやはりマスコミにあります。本来だったら「ＮＨＫスペシャル」で三晩ぶっ続けで特別番組を組んでもいいぐらいの問題ですよ。ところが、先般、ＮＨＫが作った北朝鮮の番組には拉致問題の「ら」の字も出て来なかった。これが今のＮＨＫの驚くべき体質です。

決して沈黙しない――これが一番必要なことだと思います。ですから今後も、私どもは怒りの声をあげ続け、一人でも多くの賛同者を得ながら、この怒りを世論として形成していきたいと思っています。

一方で、少し息の長い話になりますが、国際社会での国益を巡る紛争や思想戦といたものに日本人がきちんと対処できるような教育、あるいは思想運動を展開していく必要があると思います。拉致問題をこのまま放擲しておくようなことがあれば、我々は子や孫の世代に対して、倫理や道徳を口にする資格が無くなってしまいます。日本人が神聖な「怒り」を取り戻すように、かつての日本人が持っていた同胞愛や愛国心といったものを色々な場で訴え、国民全体の精神改革を、救出運動と同時にやっていくことだと思います。そして、国民の側にある一定の覚悟が出来れば、政治家も無意味な譲歩を重ねるような姿勢は改まり、毅然とした態度がとれるようになるのではないでしょうか。

私はもともと政治家だけを批判するのはおかしいと思っています。政治家を選んだのは私たちですから、政治家のレベルは国民のレベルの反映です。国民の方が健全な国家観を回復することができれば、その後のことはそれほど難しいことではない。ただ、その健全な国家観の回復がまだまだそう簡単にいきそうにありませんが。

徹底的に制裁を加えていく強気の外交を

――やはりこの問題は最終的に政治家に委ねるしか無いわけですから、政治家に直接決断を迫るような手段が必要であるように思いますが。

吉田 本当は政治家は「リーダー」であって、リーダーシップを働かせる存在なのですが、今の日本にそういう政治家が殆どいません。では、彼らが一番恐れているのは何かと言えば、世論です。

そこで、今度の選挙を控えて、「北朝鮮に拉致された日本人を救出する全国協議会」ではすべての立候補者に対して北朝鮮へのスタンスについてのアンケートを出しました。今もう、少しずつ返事が来ているようです。要するに、北朝鮮に味方するような政治家なのか、日本の国益を守ろうとしている政治家なのか、あるいはそういう重要なテーマについてアンケートの返事も寄越さないような政治家なのか、その辺りをきちんと調べて内容を公開する予定です。それで、日本の国益よりも北朝鮮のそれを優先させるような国会議員には政治の場から消えていただこうと。これは大分効果が期待出来るのはないかと思っています。

今年七月、日本でサミットが開かれますが、コメなんかを支援している暇があったら、そういう場を使って拉致という非道なことが北朝鮮によって行われているということを、全世界に知らせる努力をするべきだと思います。イタリアは最近北朝鮮と国交を正常化したようですが、そういう国に対して、北朝鮮はこういう国なんだ、友好国として我が国と歩調を合わせて欲しいと訴えるべきです。自由主義の民主国家同士歩調を合わせて北朝鮮に徹底的に制裁を加えていく。そういう強気の外交を展開しなければ何も進展しません。レバノンの例もあるわけですから。

——北朝鮮は一九七八年、レバノンの女性五人を拉致し、翌年その内の二人が自力で脱出して事件が発覚。レバノン政府は「残る三人を返さなければありとあらゆる手段を講じて取り返す」と詰め寄り、ついに北朝鮮は三人の女性を解放しました。これが北朝鮮が拉致した外国人を返した唯一の例です。

さて、来る四月三十日には、昨年に引き続き東京・日比谷公会堂で「横田めぐみさんたちを救出するぞ！第二回国民大集会」が開催されます。

吉田　昨年は連休の狭間だったのにも拘わらず約二千人集まりました。今年は三千、四千、あるいは五千と膨れ上がるように力を入れています。一方で私どもとしては、マスコミの報道に期待したいと思います。良識のある文化人たちが加わった国民的怒りの集会なんだということをきちんと報道していただきたい。密着取材のドキュメンタリーを作るとか、つまり、利潤追及ではなく、報道に携わる人間としての使命感を発揮していただきたいのです。

報道関係者だけではありません。我々一人一人が、この問題についてある程度の犠牲を払ってでもやるという覚悟を持たなければならないと思います。国家は国家、自分は自分というように、自分とは何の関係も無いものとして、抽象的に国家のことを考えているうちは、その国家は弱いものでしかあり得ない。我々一人一人が国家、あるいは同胞のために何が出来るのかを自分自身の責任として考えるようになって初めて、国家は私たちの力になってくれるのだと思います。そして、その時こそ日本は生まれ変わり、この問題も解決への本当の糸口が見えてくるように思います。

（平成十二年三月十七日インタビュー）

［追記］

このインタビューにおいて、一度だけ鈴木氏から訊き返されたことがあつた。それは「怒りは神聖なものである」といふ点についてである。よほど印象に残つたのか、副題にも使はれてゐた。だが、今読み返してみると、あまりはつきりとした定義を述べてはゐない。うまく言へなかつたのだらうから、ここで再論を試みたい。

先づ「神聖」と言ふ言葉であるが、「清浄でけがれが無いこと」（『新潮国語辞典』）といふやうな意味で使つたものである。「神」が付くからと言つて必ずしも宗教とは関係無い。

それよりも、私の頭にあつたのは、戦後八年間、所謂「シベリア抑留」の体験を持ち、帰国後に作品を発表し始めた詩人、石原吉郎（一九一五―一九七七）の文章であつた。『石原吉郎詩集』（「現代詩文庫」思潮社）に「一九五九年から一九六一年までのノート」と題された一種の箴言集があり、その中に次のやうなものがあつた。

怒りはけっして報復の方向へねじまげられてはならない。それは、神聖な衝動としての怒り、怒ることによってのみ深まりうる感情をみずから踏みにじることである。怒りは耐えられることにより、人知れず深められ、さらに大きな怒りへと結びついて行かねばならない。

ふつう、怒りといふものは負の感情として否定的に語られる。「怒りに駆られて暴力を揮ふ」といふやうに。しかし、それは石原の言ふ「報復」であつて、低次元のものである。しかしまた、石原によれば「怒ることによってのみ深まりうる感情」というものもあるのだ。そしてその怒りは「さらに大きな怒りへと結びついて行かねばならない」。つまり、真の「怒り」ならば、その因つて来るところを凝視し耐えることによつて「さらに大きな」ものへと、「清浄でけがれが無い」ものへと成長させなくてはならない、といふふうに私は考へてゐたのだと思ふ。そして、それは今も変はらない。

後書

本書はここ四年ほどの間に書いたコラムと「追記」、そして少し古いがインタビュー記事を収録した。

自分で書いたものを何と表現したら良いか考へ、前著では「評論・エッセイ」と記したのだが、よくよく考へると、分量的に見て「評論」は少し僭越だし「エッセイ」も少し違ふ感じがした。

「白刃」の記事は囲み記事で約一千字と、形式的には「コラム」と称するのにふさはしいと思ひ、すぐに決まつた。署名記事のはうは三千字なのでコラムと言ふには少し長いかとも思つたが、あれこれ考へた末、問題なからうと判断した次第である。

また、本年三月で大学を去るので、その後の肩書はコラムニストを名乗らうと考へてゐる。前著に収めたものから数へて百数十本は書いてゐるので、質はともかく量からすれば許されるのではなからうか。

本書は学恩のある四人の錚々たる先生方――竹本忠雄先生、小堀桂一郎先生、長谷川三千子先生、宮崎正弘先生――からご推薦に与り、また今回は、日教組問題、「慰安婦強制連行」問題、教科書問題などで確固たる信念を貫いてをられる中山成彬衆議院議員からもご推薦を賜つた。本当に有難いことであり、「至幸」と言へる。ただし、私のやうな未熟者がこのやうな各界の泰斗である先生方の推薦を受けられることは、別な見方をすれば、我々の側、即ち「反左翼陣営」の世界がまだまだ狭いとも言へるのではなからうか。「序に代へて」でも指摘したやうに、圧倒的に多くの同胞はWGIPに今なほ呪縛されてゐるのである。しかも非常に残念なことに、学者・大学教員、法曹界、マスメディア、放送業界にさういふ人々が多い。

だが、幸ひなことに、若者は新聞をあまり読まず、地上波放送のテレビもあまり見ない。その代はりにネットで情報を集める傾向があり、WGIPに呪縛された人々とは異なつた知識や情報に接してゐるやうに思はれる。そこに期待したいと思ふ。

＊　＊　＊

今回もまた畏友の黒木雅裕君と賢夫人の和子さんに校正の手伝ひをお願ひした。お蔭で随分と「凡ミス」が減つた。お礼を申し上げる。

お礼と言へば、『月曜評論』から『時事評論石川』へと、もう四半世紀以上も原稿の注文を下さつてゐる中澤茂和氏に深甚なる感謝を捧げる。氏からの原稿の注文が無ければ、私はこの種の仕事には縁が無かつたであらう。

最後に、前著に続き出版の労をお取り下さつた高木書房社長の斎藤信二氏にお礼を申し上げる。

令和三年二月二十日

吉田好克

続・言問ふ葦（こととあし）

――「常識」を取り戻すために

令和3（2021）年3月3日　第1刷発行

著　者　吉田 好克

発行者　斎藤 信二

発行所　株式会社 高木書房

〒116-0013
東京都荒川区西日暮里5-14-4-901
電　話　　03-5615-2062
FAX　　03-5615-2064
メール　　syoboutakagi@dolphin.ocn.ne.jp
装　　丁　株式会社インタープレイ
印刷・製本　株式会社ワコープラネット
乱丁・落丁は、送料小社負担にてお取替えいたします。

 Printed in Japan　ISBN978-4-88471-463-5 C0031

（撮影　小玉鉄平）

吉田好克（よしだ・よしかつ）

昭和31年富士吉田市生まれ。早稲田大学、埼玉大学修士課程、筑波大学博士課程を経てパリ第4大学（ソルボンヌ）大学院高等専門課程修了（D.E.A.取得）。専門はパスカル、デカルトなどのフランス17世紀の思想・哲学。筑波大学助手を経て、平成4年、宮崎大学教育学部人文社会課程助教授。その後、教育文化学部を経て、現在は地域資源創成学部准教授。令和3年3月定年退職。

「北朝鮮に拉致された日本人を救出する宮崎の会（救ふ会宮崎）」会長。

主な著訳書に、『言問ふ葦――私はなぜ反「左翼」なのか』（高木書房）、『フランス文化のこころ』（共著、駿河台出版社）、G・ジュネット『ミモロジック』（共訳、書肆風の薔薇）、『メナール版パスカル全集』（共訳、白水社）、A・スムラー著『アウシュヴィッツ186416号日本に死す』（共訳、産経新聞社）、オリヴィエ・ジェルマントマ著『日本待望論――愛するゆえに憂えるフランス人からの手紙』（産経新聞社）、『今昔秀歌百撰』（共著、文字文化協会）、山口秀範編『和誠礼勇――教育往復書簡』（共著、産経新聞出版）などがあり、論文の翻訳に、G・ジュネット「日記、反日記」（『現代詩手帖』思潮社）、P・リグロ「ソ連に抑留されたヨーロッパ人たち」（『海外事情』拓殖大学海外事情研究所）、A・ヴォシェ「聖者から聖域へ――西方キリスト教世界の空間と《サクレ》」（竹本忠雄監修『霊性と東西文明』勉誠出版）などがある。さらにTadao Takémoto, *Lâme japonaise en miroir, Claudel, Malraux, Lévi-Strauss, Einstein*, Entrelacs, Paris. においてアインシュタインの独語による「訪日日記」を仏語に抄訳。平成13年には拉致問題を国連に初めて訴へるためのフランス語文書を作成（フランス在住のガゼール大詩氏と共同執筆）。平成26年に伊勢で行はれた「日仏シンポジウム　ルーツ対ルーツの対話」では長谷川三千子埼玉大学名誉教授の発表原稿「哲学の根本の問ひと『古事記』―生成への驚き―」の仏語訳を担当。他に、講演録として『文化と愛国心――フランスに学ぶ』（宮崎県神社庁刊）、『日本待望論について』（国民文化研究会刊）、『文化は輸入できるか』（全国八幡宮連合総本部刊）などがある。平成2年筑波学都財団特別表彰、平成30年神道政治連盟表彰を受く。

【人名索引】

96 頁のアンケートで挙げられてゐる人名は省略した。